P9-DNS-259

FRANCISCO MORENO FERNÁNDEZ

Ejercicios de fonética española para hablantes de inglés

Nivel: Inicial-Intermedio-Avanzado

Con la colaboración de
JUAN M. SOSA

ARCO/LIBROS, S.L.

Cuadernos de PRÁCTICAS de español/LE
Dirección: FRANCISCO MORENO

Cubierta: Kristof Boron.

Ilustración: Raquel Wullidh: fragmento (óleo sobre lienzo). Colección particular.

Juan Bautista de Toledo, 28. 28002 Madrid
ISBN: 84-7635-441-X
Depósito legal: M-40.988-2000
Printed in Spain-Impreso por Ibérica Grafic, S.A. (Madrid)

Índice

Introducción

Para aprender la fonética de una lengua extranjera hay que practicarla. Esa es la clave: practicar y practicar; acostumbrarse a la pronunciación de la lengua que se aprende; hacer que los sonidos nuevos nos resulten familiares; habituar a los órganos articulatorios a realizar movimientos y a adoptar posiciones hasta entonces extraños; coordinar esos movimientos en unidades melódicas de distinta amplitud.

Pero no se puede practicar de cualquier manera. El esfuerzo que supone la práctica repetida merece una buena orientación y un orden apropiado. Por ese motivo estos *Ejercicios de fonética española* reúnen una buena serie de prácticas en la que todo está pensado y ordenado para conseguir un aprendizaje eficaz y un dominio real de la fonética del español. Aquí no se han acumulado ejercicios prácticos: se han buscado, seleccionado y dispuesto de acuerdo con las necesidades de los que aprenden la lengua.

El aprendiz de español tiene que saber dos cosas más sobre estos *Ejercicios*. En primer lugar, que los ejercicios que aquí se reúnen han sido pensados para proceder de lo fácil a lo más complicado. En segundo lugar, que la práctica de la fonética no consiste solamente en repetir unos pocos sonidos nuevos, porque los sonidos forman parte de unidades superiores y de curvas de entonación cuyo dominio es importantísimo para hacerse entender. El material sonoro que acompaña a este libro ayudará a que el aprendizaje y el uso de la fonética estén al alcance de cualquier estudiante de español como lengua segunda o extranjera.

FRANCISCO MORENO FERNÁNDEZ

Introducción para profesores

La práctica de la fonética suele ocupar un lugar secundario en los programas de enseñanza y aprendizaje de lenguas extranjeras, también del español. No es nuestro interés en este momento hacer indicaciones sobre lo que debe ser más o menos importante en el aprendizaje de una lengua. Ahora bien, estamos convencidos de que los aspectos fonéticos merecen atención y de que conviene tratarlos, junto a otros muchos, partiendo de tres principios generales:

- en primer lugar, que la práctica de la fonética no ha de limitarse a las unidades segmentales;
- en segundo lugar, que el aprendizaje avanzado de una lengua debe integrar los aspectos fonéticos en el proceso general;
- y, finalmente, que la enseñanza-aprendizaje de la fonética ha de orientarse, en lo posible, hacia hablantes de orígenes lingüísticos específicos.

La metodología que subyace a estos *Ejercicios de fonética española* se sustenta en la idea de proceder por el itinerario que lleva de lo fácil a lo difícil. De ahí la importancia de dirigirse a hablantes de procedencias lingüísticas concretas, porque lo que resulta fácil para los hablantes de alemán que estudian español puede ser sumamente complicado para los estudiantes japoneses, por poner un ejemplo.

Pero, de ahí también la trascendencia de organizar los ejercicios sobre unos fundamentos de lingüística aplicada, puesto que lo que resulta difícil para la mayoría de los estudiantes de español no tiene por qué ofrecer la misma dificultad en todos los contextos del habla; dicho de otro modo, la pronunciación de la vibrante múltiple (*r-*, *-rr-*), siendo difícil, incluso para muchos hispanohablantes, no resulta igual de complicada en todos los contextos fonéticos, por lo que también aquí convendría empezar por lo fácil –los contextos en que resulta más fácil su pronunciación– y avanzar aumentando progresivamente el grado de dificultad.

Estos *Ejercicios de fonética española* quieren aportar un material que ayude al profesor de español en su trabajo, ofreciendo una gran cantidad de los mismos, bien clasificados y fundamentados en los más eficaces principios de la lingüística aplicada, que también permiten practicar la fonética mediante técnicas de autoaprendizaje.

Estamos seguros de que los profesores de español sabrán aprovechar este libro de muchas formas. Deben saber, para ello, que hemos partido de la idea de que los estudiantes ya saben en qué consiste afrontar el aprendizaje de una lengua extranjera. También hay que valorar que, aunque los *Ejercicios de fonética española* están concebidos para un tratamiento lineal, el profesor puede seleccionar aquellos ejercicios que considere oportunos en cada momento, insistiendo en lo que necesite reiteración y obviando lo asimilado de forma más fácil y rápida. No se olvide, sin embargo, que el hecho de que nos dirijamos a aprendices de un mismo origen lingüístico, no garantiza la homogeneidad de los destinatarios: una vez más, lo que resulta fácil para una persona, puede ser muy difícil para otra.

En la presentación de las prácticas y ejercicios no se ofrecen explicaciones teóricas o justificaciones de método: ofrecemos un cuaderno para practicar la fonética española, no para aprender lingüística. Sin embargo, es obligado explicar a los profesores que estos ejercicios se han elaborado a partir de

- análisis de errores pormenorizados
- un proceso de aprendizaje de la fonética en tres etapas: identificación, producción y consolidación
- el aprovechamiento de la fonética sintáctica o combinatoria
- la atención a los problemas específicos de los hablantes de inglés

Finalmente, conviene llamar la atención sobre la importancia del material sonoro que acompaña a este libro, material que será un instrumento imprescindible, tanto para el profesor de español como para los que se decidan por la aventura del auto-aprendizaje.

F. M. F.

1 / Antes de empezar: nociones básicas

La fonética de la lengua española se basa en la combinación, en el habla, de unas unidades mínimas llamadas ***fonemas***.

Los fonemas pueden ser ***vocales*** o ***consonantes*** y se combinan linealmente formando ***sílabas***. Las sílabas, por su parte, se combinan para formar ***palabras***, que constituyen ***grupos fónicos***, que reciben ***entonaciones*** muy variadas.

Fonema
/d/ /a/ ... ⇓

Fonema + Fonema
/d/ + /a/ + /m/ + /e/ ⇓

Sílaba + Sílaba
da + me ⇓

Palabra + Palabra
dame + el + libro ⇓

Grupo Fónico + Grupo fónico
dame el libro + por favor ⇓⇑

Curva de entonación
dame el libro, por favor

Este esquema recoge unas combinaciones muy frecuentes en español, pero también es posible encontrar ***curvas de entonación*** aplicadas sobre un solo grupo fónico (*¡Por favor!*), ***grupos fónicos*** formados por una sola palabra (*¡Adiós!*), ***palabras*** formadas por un sola sílaba (*pan*) y ***sílabas*** formadas por un solo ***fonema*** (*¡Ah!* = /a/).

Generalmente, se considera que la fonética del español es fácil de aprender y de practicar. Como es natural, esta dificultad es relativa, pero también es verdad que, a diferencia de lo que ocurre en otras lenguas, en español es fácil identificar los ***fonemas*** con los ***sonidos*** y los sonidos con las ***letras*** correspondientes.

- ***Fonema*** es un tipo o modelo de sonido. Se trata de un sonido ideal o abstracto, prescindiendo de la forma en que ese sonido se pronuncia realmente. Los fonemas se representan en la escritura entre barras (//)

  /b/ /u/ /e/ /n/ /o/ /s/ /d/ /i/ /a/ /s/ o /buenos dias/

- ***Sonido*** es lo que se emite y se percibe cuando se pronuncia una vocal o una consonante. Los sonidos se representan entre paréntesis cuadrados ([])

  [b] [w] [é] [n] [o] [s] [d] [í] [a] [s] o [bwénos días]

- ***Letra*** es la representación gráfica de un fonema o de un sonido. Las letras las representaremos mediante tipos *en cursiva.*

  B u e n o s d í a s

En español, la mayoría de los fonemas se corresponden con un sonido y con una letra. Así, el fonema /t/ se pronuncia como [t] y se escribe con la letra *t*; el fonema /a/, se pronuncia con el sonido [a] y se escribe con la letra *a.*

Los fonemas, los sonidos y las letras del español, así como sus correspondencias y combinaciones, se presentan y practican en los capítulos siguientes. Antes de empezar, sin embargo, es muy importante saber que la práctica de un sonido no consiste solamente en la pronunciación de ese sonido aislado, sino en la pronunciación de unos sonidos junto a otros, formando cadenas bajo curvas melódicas o de entonación.

2/ Las letras del español

El alfabeto

El ***alfabeto*** o ***abecedario*** de la lengua española es oficial y aceptado en todos los países del mundo en los que el español es lengua oficial. Este alfabeto está formado por veintinueve (29) letras: veintisiete (27) letras simples y dos (2) letras o grafías dobles.

Alfabeto y nombre de las letras		
Letra (minúscula, mayúscula)	***Nombre***	***Pronunciación del nombre***
a, A	*a*	/á/
b, B	*be, be alta/larga**	/bé/, /bé álta, lárga/
c, C	*ce*	/θé/, /sé/**
ch, CH (grafía doble)	*che*	/t͡ʃé/
d, D	*de*	/dé/
e, E	*e*	/é/
f, F	*efe*	/éfe/
g, G	*ge*	/χé/
h, H	*hache*	/át͡ʃe/
i, I	*i*	/í/
j, J	*jota*	/χóta/
k, K	*ka*	/ká/
l, L	*ele*	/éle/
ll, LL (grafía doble)	*elle*	/éʎe/, /éye/, /dóble éle/
m, M	*eme*	/éme/
n, N	*ene*	/éne/
ñ, Ñ	*eñe*	/éɲe/
o, O	*o*	/ó/
p, P	*pe*	/pé/
q, Q (siempre seguida de *u*)	*cu*	/kú/
r, R	*ere, erre*	/éɾe/, /ére/
s, S	*ese*	/ése/
t, T	*te*	/té/
u, U	*u*	/ú/

Alfabeto y nombre de las letras (cont.)		
Letra (minúscula, mayúscula)	*Nombre*	*Pronunciación del nombre*
v, V	*uve, ve** *ve baja/corta**	/úbe/, /bé/, /bé báχa, kórta/
w, W	*uve doble,* *ve doble,** *doble ve**	/úbe dóble/, /bé dóble/, /dóble bé/
x, X	*equis*	/ékis/
y, Y	*i griega, ye*	/í griéga/, /yé/
z, Z	*zeta*	/θéta/, /séta/**

* Nombre más frecuente en América.
** Esta pronunciación se da en las áreas geográficas en las que no existe el fonema /θ/.

2.1. Escucha los nombres de las letras del alfabeto español. Repítelos después de cada uno de ellos

a	ene
be	eñe
ce	o
che	pe
de	cu
e	ere
efe	ese
ge	te
hache	u
i	uve
jota	uve doble
ka	equis
ele	i griega
elle	zeta
eme	

2.2. Pronuncia el nombre de las letras que aparecen a continuación. Después, repite letra por letra, escucha la grabación y compara

a	t	l	v	o
d	b	u	ll	r
f	i	ch	w	n
j	s	y	p	
e	m	g	x	
ñ	q	z	h	

- Los nombres de las letras en español siempre son femeninos:

  la a, la be, la ce

- El plural de las letras se construye añadiendo una *-s* a su nombre:

  las bes, las ces,

  excepto en el caso de las vocales *a, i, o, u*:

  las aes, las íes, las oes, las úes.

2.3. Escucha el nombre en singular y en plural de varias letras. Repítelos después de cada una de ellas. Por ejemplo: *la hache, las haches*

h	e	u	x
v	k	s	ch
a	m	b	o
c	j	i	d
g	ll	w	q

El deletreo

El deletreo consiste en la pronunciación del nombre de cada una de las letras que componen una palabra (véase cuadro del alfabeto con el nombre de las letras). Resulta muy útil a la hora de dictar o escribir nombres propios y palabras de ortografía difícil o extraña.

2.4. Escucha el deletreo de las siguientes palabras. Después de oír cada una de ellas, tendrás un tiempo para repetirla. Luego volverás a oírla

zarpa	gana	niño
chinche	kilo	queso
foto	llena	whisky

2.5. Deletrea cada una de las palabras que aparecen a continuación y luego pronuncia la palabra completa. Después de pronunciar cada una de ellas, oirás la pronunciación en la grabación

Washington	chivato	jamón
bruto	extraordinario	ñoqui
cartelera	elasticidad	Uruguay

2.6. Escucha el deletreo de una serie de palabras. Intenta escribir cada palabra al tiempo que se deletrea

1	4	7 ....
2	5........................	8 ....
3	6	9 ....

En ocasiones, las dificultades de audición pueden hacer aconsejable practicar el deletreo añadiendo al nombre de la letra un complemento referido a una palabra que empieza por la letra en cuestión (***a de avión***). Estos nombres suelen fijarse convencionalmente en cada comunidad, por lo que existen muchas variantes. Reproducimos algunos de los usados en el español de España, en los que aparecen muchas referencias a ciudades y regiones de este país.

a de *avión*	***j*** de *Jaén*	***r*** de *Roma*
b de *burro*	***k*** de *kilo*	***s*** de *Sevilla*
c de *Cáceres*	***l*** de *Lugo*	***t*** de *Teruel*
ch de *chocolate*	***ll*** de *lluvia*	***u*** de *uva*
d de *dedo*	***m*** de *Madrid*	***v*** de *Vitoria*
e de *Europa*	***n*** de *Navarra*	***w*** de *Washington*
f de *Francia*	***ñ*** de *ñoño*	***x*** de *xilófono*
g de *gato*	***o*** de *Oviedo*	***y*** de *yate*
h de *Huelva*	***p*** de *Pamplona*	***z*** de *Zamora*
i de *Italia*	***q*** de *queso*	

2.7. Deletrea las palabras que aparecen a continuación utilizando los complementos que se acaban de presentar. Luego presta atención a la grabación

Francisco	Joaquín
Ruiz	Rajoy
Menéndez	Prats

Letras y fonemas

La mayoría de las letras del español se corresponden con un fonema y un sonido, como se observa en el siguiente cuadro.

Correspondencia de letras y fonemas en español	
Letra (minúscula, mayúscula)	***Fonema(s)***
a, A	/a/
b, B	/b/
c, C	/θ/-/s/, /k/
ch, CH (grafía doble)	/t͡ʃ/
d, D	/d/
e, E	/e/
f, F	/f/
g, G	/g/, /χ/
h, H	–
i, I	/i/
j, J	/χ/
k, K	/k/
l, L	/l/
ll, LL (grafía doble)	/ʎ/-/y/
m, M	/m/
n, N	/n/
ñ, Ñ	/θ/
o, O	/o/
p, P	/p/
q, Q	/k/
r, R	/ɾ/, /r/
s, S	/s/
t, T	/t/
u, U	/u/
v, V	/b/
w, W	/u/
x, X	/k/-/g/ + /s/
y, Y	/i/, /y/
z, Z	/θ/-/s/

Sin embargo, a pesar de la correspondencia mayoritaria entre letras y fonemas, encontramos algunos casos en los que se presentan variantes o posibilidades diversas.

■ Dos letras diferentes pueden representar un solo fonema o sonido:

b y ***v***	⇒	/b/
c (ante *e, i*) y ***z***	⇒	/θ/-/s/*
c (ante *a, o, u*) y ***q*** (ante *e, i*)	⇒	/k/
g (ante *e, i*) y ***j***	⇒	/χ/
ll y ***y***	⇒	/y/**
s y ***z***	⇒	/s/***

* /s/ en las áreas geográficas en las que no existe el fonema /θ/.
** En algunas regiones, existe un fonema en correspondencia con cada letra: *ll* = /ʎ/ e *y* = /y/.
*** En algunas regiones, *z* se corresponde también con /s/, por no existir el fonema /θ/; en otras regiones, existe un fonema en correspondencia con cada letra: *s* = /s/ y *c, z* = /θ/.

2.8. Escucha y repite estos pares de palabras. Comprueba que las letras señaladas se pronuncian de la misma forma

gra*b*ar / gra*v*ar	*c*inc / *z*inc	*g*ira / *j*irafa	arro*ll*o / arro*y*o
re*b*elarse / re*v*elar	*c*enit / *z*enit	in*g*erir / in*j*erirse	ra*ll*ar / ra*y*ar
*b*arón / *v*arón	cabe*c*ero / cabe*z*a	va*ll*a / va*y*a	ca*s*a / ca*z*a*
*b*otar / *v*otar	hi*c*e / hi*z*o	po*ll*o / po*y*o	ra*s*a / ra*z*a*

* Esta oposición no se produce en las regiones en que no existe /θ/.

■ Dos letras seguidas representan un solo fonema o sonido:

gu	⇒	/g/
qu	⇒	/k/

2.9. Escucha y repite estos pares de palabras. Pon atención en la forma de leer las letras que están en *cursiva*

*c*eso / *c*aso	*g*ota / *g*itana	*g*uapa / *g*enio	*y* / *y*oga
*g*ato / *g*esto	mo*r*o / *r*omo	ta*r*ugo / ar*r*uga	re*y* / re*y*es
ca*r*o / car*r*o	*c*ola / *c*ela	*c*uenta / *c*inta	convo*y* / convo*y*es

■ Una letra puede servir para representar dos fonemas o sonidos:

c	⇒	/θ/-/s/ y /k/
g	⇒	/g/ y /χ/
r	⇒	/ɾ/ y /r/
y	⇒	/i/ y /y/

2.10. Escucha y repite estos pares de palabras. Pon atención en la forma de leer las letras que están en *cursiva*

*gu*erra	*gu*iar	*qu*eso	*qu*itar
*gu*eto	*gu*itarra	*qué*	*qu*iere
man*gu*era	ami*gu*ito	pa*qu*ete	peri*qu*ito

■ Una letra no representa ningún fonema o sonido:

h	⇒	∅

2.11. Escucha y repite esta serie de palabras. Comprueba que, al leer, la letra *h* no se pronuncia

*h*ola	*h*abitante	*h*éroe	*h*orror	ex*h*austo
*h*ablar	*h*amaca	*h*ermoso	*h*ueco	ex*h*ibir
*h*acer	*h*elvético	*h*íbrido	*h*umor	ve*h*ículo

■ Una letra puede representar una secuencia de dos fonemas:

x	⇒	/k/ + /s/ /g/ + /s/

2.12. Escucha y repite las palabras siguientes, poniendo especial cuidado en la pronunciación de la letra *x*

é*x*ito	ta*x*i	síle*x*	e*x*otérico
tóra*x*	e*x*amen	asfi*x*ia	rela*x*

La ortografía

El uso de las letras en español está regulado por una ortografía oficial elaborada y aprobada por la Real Academia Española y la Asociación de Academias de la Lengua Española.

Algunas reglas ortográficas generales

- Se escriben con ***b*** las palabras terminadas en ***-ble***: *agradable, posible*
- Se escriben con ***g*** las palabras terminadas en ***-gen*** (y sus derivados): *origen, virgen*
- Se escribe ***g + u*** delante de las vocales *e, i* para representar el fonema /g/: *guepardo, guitarra,*
- La diéresis se usa sobre la *u* (*ü*) en la secuencia de fonemas /g/ + /u/ + /e/ =*güe* , /g/ + /u/ + /i/ = *güi*: *halagüeño, argüir*
- Se escriben con ***h-*** las palabras que empiezan por ***hie-***, ***hue-***, ***hia-*** y ***hui-***: *hielo, hueso, hiato, huir*
- Se escriben con ***j*** casi todas las palabras terminadas en ***-aje***: *garaje, paje, arbitraje*
- Se escribe ***j*** delante de las vocales *a, o, u* para representar el fonema /χ/: *jarabe, joven, jueves*
- Se escribe ***j*** o ***g*** delante de las vocales *e, i* para representar el fonema /χ/: *gente, gitano, jefe, jirafa*
- Se escriben con ***ll*** las palabras que terminan en ***-illa***, ***-illo*** y ***-ullo***: *maravilla, castillo, capullo*
- Se escribe ***m*** antes de ***p*** y ***b***: *campo, cambio*
- Se escribe ***q + u*** delante de las vocales *e, i* para representar el fonema /k/: *queso, quitar*
- Se escribe ***r*** a principio de palabra para representar el fonema /r/: *radio, reino, risa, rosa, ruso*
- Se escribe ***-rr-*** entre vocales, en interior de palabra, para representar el fonema /r/, vibrante múltiple: *jarra, amarre, carrito, corro*
- Se escriben con ***v*** los adjetivos y determinantes terminados en ***-avo, -evo, -ivo***: *octavo, nuevo, activo*
- Se escribe ***z*** delante de las vocales *a, o, u* para representar el fonema /θ/: *zapato, zorro, zulú*
- Se escribe ***c*** delante de las vocales *e, i* para representar el fonema /θ/: *cien, centena*

  En algunas palabras que no son de origen español también puede usarse la letra *z*: *zinc, zenit.*

3 / Los fonemas y los sonidos del español

Los fonemas del español se pueden clasificar en dos grupos principales: ***fonemas vocálicos*** y ***fonemas consonánticos***. Dentro de los consonánticos es posible distinguir las *consonantes orales*, las *nasales* y las *líquidas.*

Fonemas vocálicos

Las vocales del español son cinco: */a/, /e/, /i/, /o/, /u/*
Las vocales se distinguen:

- por el grado de abertura de la boca
- por la posición más o menos adelantada de la lengua
- por el redondeamiento de los labios

Las vocales del español

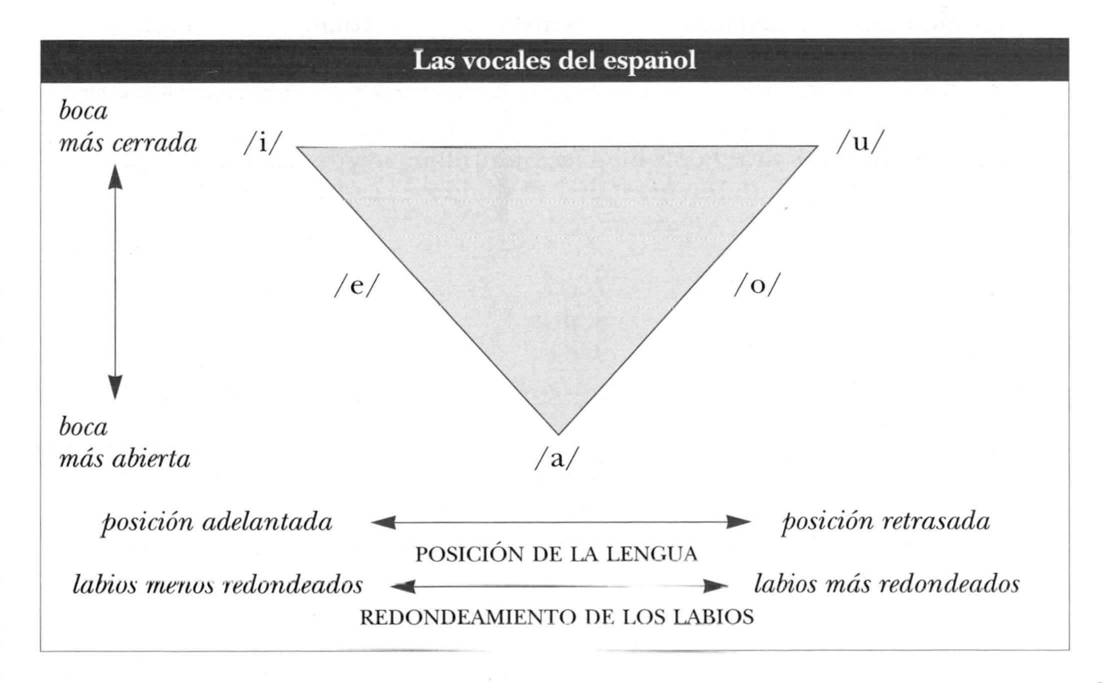

De acuerdo con este esquema, las características de las vocales del español son las siguientes:

/a/ abertura máxima – lengua en posición baja
/e/ abertura media – lengua adelantada – labios no redondeados
/i/ abertura mínima – lengua más adelantada – labios no redondeados
/o/ abertura media – lengua retrasada – labios redondeados
/u/ abertura mínima – lengua más retrasada – labios redondeados

Según esta información, el español no distingue una vocal *e* abierta de una *e* cerrada, ni una vocal *o* abierta de otra cerrada, ni diferentes timbres para la vocal *a*. Por este motivo la lengua española dispone solamente de cinco elementos vocálicos. En el cuadro siguiente aparecen ejemplos con las vocales del español y sus correspondencias más aproximadas en otras lenguas.

Las vocales del español y sus correspondencias en otras lenguas

FONEMA	GRAFÍA	ESPAÑOL	INGLÉS	FRANCÉS	ITALIANO	ALEMÁN	JAPONÉS
/a/	*a*	apartamento	apartment	appartement	appartamento	Appartment	apa:to
/e/	*e*	teléfono	telephone	téléphone	telefono	Telephon	denua
/i/	*i, y*	whisky	whiskey	whisky	whisky	Whisky	wisuki:
/o/	*o*	Tokio	Tokyo	Tokyo	Tokio	Tokio	To:kyo:
/u/	*u*	Perú	Peru	Pérou	Perù	Peru	Peru:

3.1. Escucha la pronunciación de los ejemplos del español que aparecen en el cuadro de las vocales

apartamento teléfono whisky Tokio Perú

3.2. A continuación oirás la pronunciación prolongada de cada una de las vocales del español. Intenta imitar el sonido de cada una de ellas después de oírlas

1. a	4. o	7. i	10. a	13. o
2. e	5. u	8. u	11. e	14. a
3. i	6. o	9. e	12. u	15. i

Las vocales del español no se distinguen por su duración ni por su carácter nasalizado o no nasalizado. Por lo tanto, no existen fonemas vocálicos largos y breves, y tampoco existen vocales nasales y no nasales.

3.3. Escucha los siguientes pares de palabras. Pon especial atención en la pronunciación de las vocales señaladas

*a*rte / *a*te	c*a*b*a*ll*o* / c*a*ch*a*rr*o*	d*o*nde / d*o*me
p*a*sto / p*a*to	Mart*í*n / Mar*í*a	*a*ntes / *a*nillo
gr*e*sc*a* / gr*e*c*a*s	m*a*no / m*a*lo	p*a*r / p*a*n

Sin embargo, hay que tener en cuenta que las vocales que aparecen en sílaba acentuada tienen una mayor duración que las vocales que aparecen en sílaba tónica.

3.4. Escucha los siguientes pares de palabras. Pon especial atención en la pronunciación de las vocales señaladas

c*a*so / c*a*só	h*u*mo / h*u*medad	p*i*sta / p*i*sar	*á*spero / *a*spirar
olv*i*do / olv*i*dó	and*a*r / and*a*rín	carn*é* / carn*e*	*u*no / *u*nidad
past*e*l / past*e*lero	p*é*rdida / p*e*rder	man*í* / cam*i*són	h*i*jo / h*i*jastro

Combinaciones de vocales

Las vocales del español pueden aparecer una junto a otra en una misma sílaba formando ***diptongos*** y ***triptongos.***

- Un ***diptongo*** es la unión de una vocal cerrada (*i,u*) y una vocal más abierta y fuerte (*a, o, u*). La vocal cerrada puede aparecer en primer lugar o en segundo lugar. Cuando se unen dos vocales cerradas, la segunda se convierte en fuerte por la fuerza del acento. Las dos deben pronunciarse en una sola sílaba.

Diptongos del español			
ié*	***ué***	***éi (éy)***	***éu***
iá	***uá***	***ái (áy)***	***áu***
ió	***uó***	***ói (óy)***	***óu***
iú	***uí***		

* Se señala con acento la vocal que se pronuncia con más fuerza.

3.5. Escucha y repite la pronunciación de los siguientes diptongos				
1. *ue*	4. *ai*	7. *ou*	10. *iu*	13. *io*
2. *oi*	5. *ui*	8. *ie*	11. *ua*	14. *eu*
3. *ia*	6. *uo*	9. *au*	12. *oi*	15. *ei*

- Un ***triptongo*** es una secuencia formada por una vocal cerrada, una vocal más abierta y fuerte y una vocal cerrada, cuando todas ellas pertenecen a la misma sílaba.

Triptongos del español			
iái*	***iéi***	***uái***	***uéi (uéy)***

* Se señala con acento la vocal que se pronuncia con más fuerza.

3.6. Escucha y repite la pronunciación de los siguientes triptongos				
1. ***iei***	3. ***uei***	5. ***iei***	7. ***uai***	9. ***uei***
2. ***iai***	4. ***uai***	6. ***uei***	8. ***iai***	10. ***iai***

- Cuando dos vocales aparecen una junto a otra y no pertenecen a la misma sílaba, producen un ***hiato***. En este caso las dos vocales se consideran fuertes.

3.7. Escucha y repite la pronunciación de los siguientes hiatos				
1. ***eí***	4. ***úa***	7. ***aú***	10. ***ui***	13. ***aí***
2. ***ea***	5. ***íe***	8. ***oe***	11. ***iu***	14. ***aí***
3. ***eo***	6. ***ao***	9. ***ío***	12. ***ae***	15. ***eo***

- También es posible encontrar una secuencia en la que aparezca dos veces la misma vocal. En estos casos se pronuncia una sola vez la vocal, haciéndola generalmente más larga si la segunda de ellas lleva el acento.

3.8. Escucha las siguientes palabras. En cada una de ellas aparece dos veces seguidas la misma vocal. Pon atención en su pronunciación, más larga o más breve, según la posición del acento

Pronunciación alargada

leer	azahar	rehén	creer	alcohol

Pronunciación abreviada

provee	vehemente	preeminente	coordinar	cooperar

Fonemas consonánticos

Los fonemas consonánticos del español son diecinueve (19)* y se distinguen por el modo en que se crea el sonido, por el lugar en que se crea el sonido, por la vibración de las cuerdas vocales y por el canal de salida del aire.

- Modo en que se crea el sonido: cerrando el paso del aire / estrechando el canal de salida.
- Lugar en que se crea el sonido: labios / dientes / paladar / velo del paladar.
- Por la vibración de las cuerdas vocales: sonoridad / sordez.
- Por el canal de salida del aire: boca / nariz y boca.

En el cuadro de la página siguiente aparecen ejemplos con las consonantes del español y sus correspondencias más aproximadas en otras lenguas. Se incluyen los fonemas consonánticos y algunas de las variantes más utilizadas. Las variantes se representan entre paréntesis cuadrados [ ].

* La mayor parte de los hablantes de español, sin embargo, solo disponen de 17 fonemas consonánticos, al no disponer de /ʎ/ ni de /θ/.

Las consonantes del español y sus correspondencias en inglés y francés				
SÍMBOLO	**GRAFÍA**	**ESPAÑOL**	**INGLÉS**	**FRANCÉS**
/p/	*p*	*P*erú	*P*erú	*P*érou
/t/	*t*	*t*abaco	*t*obacco	*t*abac
/k/	*c + a, o, u*	*c*arta, a*c*ústi*c*a, *c*osa	*c*ard	*c*arte
	qu + e, i	*qu*ímica, *qu*eso	*qu*ay	*qu*and
	k	To*k*io	To*k*yo	To*k*yo
/b/	*b, v*	*b*om*b*a, *v*isado	*b*omb	*b*ombe
[β]		Ara*b*ia, ca*v*iar	–	–
/d/	*d*	*d*epartamento	*d*epartment	*d*épartement
[ð]		de*d*o	*th*is, mo*th*er	–
/g/	*g + a, o, u*	*g*ala, *g*olf, *g*uardián	*g*olf	*g*olf
	gu + e, i	*gu*erra, *gu*itarra		
[γ]		pa*g*a, lar*g*o, la*g*una	–	–
/f/	*f*	*F*rancia	*F*rance	*F*rance
/θ/	*z + a, o, u*	*z*apato, ca*z*o, *z*umo	*th*ank, mon*th*	–
	c + e, i	*c*eni*c*ero, *c*irco	*th*in	–
/s/	*s*	*s*eñor	*S*ir	Me*ss*ieur
/y/	*y*	*y*ogur	*y*ogourt	*y*ogourt
/χ/	*j + a, o, u*	*J*apón, *j*ota, *j*ulio	–	–
	g + e, i	*g*eneroso, *g*itano		
/t͡ʃ/	*ch*	*ch*eco	*Cz*ech	*tch*èque
/m/	*m*	*m*adre	*m*other, *m*ilk	*m*ère
/n/	*n*	*n*ombre	*n*ame	*n*ome
[ŋ]	*n + c, k, g, j*	ba*n*co, á*n*gel	ba*n*k	ba*n*que
/ɲ/	*ñ*	espa*ñ*ol	o*nio*n	espa*gn*ol
/l/	*l*	*l*oca*l*	*l*oca*l*	*l*oca*l*
/ʎ/	*ll*	caste*ll*ano	–	–
/ɾ/	*r*	ka*r*ate	ka*r*ate	–
/r/	*r-, -rr-*	*r*eloj, zo*rr*a	–	–

Los huecos marcados con (–) sirven para orientar sobre las dificultades fonéticas que pueden encontrar los hablantes de otras lenguas al aprender español. Las consonantes del español no se distinguen por su duración, por lo tanto no existen consonantes largas o geminadas.

3.9. A continuación oirás cómo se pronuncian los ejemplos del español que aparecen en el cuadro de las consonantes

Perú	departamento	cazo	madre
tabaco	dedo	zumo	nombre
carta	gala	cenicero	banco
acústica	golf	circo	ángel
cosa	guardián	señor	español
química	guerra	yogur	local
queso	guitarra	Japón	castellano
Tokio	paga	jota	reloj
bomba	largo	julio	zorra
visado	laguna	generoso	
Arabia	Francia	gitano	
caviar	zapato	checo	

Tipos de consonantes

En español existen tres grupos principales de consonantes: las ***consonantes orales***, las ***consonantes nasales*** y las ***líquidas***.

A. Consonantes orales

Las consonantes orales del español son las siguientes: /p/ = *p*; /b/ = *b*; /f/ = *f*; /t/ = *t*; /d/ = *d*; /θ/ = *z*, *c*; /k/ = *c*, *q*, *k*; /g/ = *g*; /χ/ = *j*, *g*; /t͡ʃ/ = *ch*; /y/ = *y*; /s/ = *s*. Estas consonantes se pronuncian haciendo salir el aire por la boca y pueden ordenarse como en el siguiente cuadro:

Consonantes orales del español			
LABIALES	DENTALES	PALATALES-ALVEOLARES	VELARES
p	t	t͡ʃ	k
b	d	y	g
f	θ	s	χ

En una parte importante del mundo hispanohablante no existe el fonema /θ/. Este fenómeno recibe el nombre de ***seseo***. En estas zonas, el fonema /s/ se pronuncia como dental y se representa gráficamente mediante *s* o *z*.

B. Consonantes nasales

Las consonantes nasales del español son las siguientes: /m/ = *m*; /n/ = *n*; /θ/ = *ñ*. Se caracterizan porque el aire sale por la nariz y, en parte, también por la boca. Estas consonantes pueden ordenarse como en el siguiente cuadro:

Consonantes nasales del español		
BILABIAL	ALVEOLAR	PALATAL
m	n	ɲ

C. Consonantes líquidas

Las consonantes líquidas del español son las siguientes: /l/ = *l*; /ʎ/ = *ll*; /ɾ/ = *-r-*; y /r/ = *r-*, *-rr-*. Se caracterizan porque comparten algunas cualidades con las vocales. Estas consonantes pueden ordenarse como en el siguiente cuadro:

Consonantes líquidas del español	
LATERAL ALVEOLAR	LATERAL PALATAL
l	ʎ ⇒ ∅
VIBRANTE SIMPLE	VIBRANTE MÚLTIPLE
ɾ	r

En la mayor parte del mundo hispanohablante no existe el fonema /ʎ/, que se ha confundido con /y/. Este fenómeno se conoce como ***yeísmo***. En tales casos, el fonema /y/ es representado gráficamente mediante *ll* o *y*.

El fonema /r/ suele resultar bastante difícil de pronunciar, incluso para muchos hablantes de español.

Posiciones y combinaciones de consonantes

- Todas las consonantes del español pueden aparecer en posición inicial de sílaba.

  casa, dale, mano, llora

- Las líquidas *r* y *l* pueden aparecer precedidas de otras consonantes en la misma sílaba.

  prueba, gloria, clase, cabra

- La pronunciación de las consonantes suele verse afectada por las características de los sonidos con los que tienen contacto directo.
  Por ejemplo, la /n/ delante de /k/ suele pronunciarse poniendo en contacto el dorso de la lengua con el velo del paladar, lo que produce un sonido [ŋ].

  esp. *banco*, ing. *bank*, jap. *ginko, kaban.*

4/ Las vocales del español

4.1. A

Fonema: /a/
Sonido: [a]
Grafía: *a*
Nombre de la letra: *a*
Ejemplo: *a*p*a*rt*a*mento
Equivalencia en otras lenguas: ing. ap*a*rtment, algo más corta; fr. *a*pp*a*rtement; it. *a*pp*a*rt*a*mento; al. *A*pp*a*rtment; jap. *A*pa:to

4.1.1. Escucha y repite estas secuencias de sonidos vocálicos

1. a - e	3. e - a	5. a - e - a	7. e - a - e
2. a - o	4. o - a	6. a - o - a	8. o - a - o

4.1.2. Escucha y repite las siguientes palabras. Aunque todas existen en español, no pienses en el posible significado de esas palabras. Pon especial atención en la pronunciación de la vocal. La *a* no acentuada se pronuncia igual que la acentuada, no como [ə]

pata	pasa	paz	vas
tata	tasa	caz	das
cata	casa	capaz	gas

4.1.3. Escucha y repite las siguientes palabras. Aunque todas existen en español, no pienses en el posible significado de esas palabras. Pon especial atención en la pronunciación de la vocal

para	bar	pala	pal	palpa
tara	dar	tala	tal	falta
cara	mar	cala	cal	calca

4.1.4. Escucha y repite las siguientes palabras. Aunque todas existen en español, no pienses en el posible significado de esas palabras. Pon especial atención en la pronunciación de la vocal

pana	pan	mama	samba	pampa
Ana	tan	nana	manda	manta
cana	can	maña	ganga	manca

4.1.5. Escucha y repite las siguientes palabras. Aunque todas existen en español, no pienses en el posible significado de esas palabras. Pon especial atención en la pronunciación de la vocal

arpa	barba	abra	aspa
tarta	tarda	ladra	hasta
marca	Marga	magra	tasca

4.2. E

Fonema: /e/
Sonido: [e]
Grafía: *e*
Nombre de la letra: *e*
Ejemplo: teléfono
Equivalencia en otras lenguas: ing. telephone; fr. téléphone; it. telefono; al. Telephon; jap. denua

4.2.1. Escucha y repite estas secuencias de sonidos vocálicos

1. e - a	3. a - e	5. e - a - e	7. a - e - a
2. e - i	4. i - e	6. e - i - e	8. i - e - i

4.2.2. Escucha y repite las siguientes palabras. Aunque todas existen en español, no pienses en el posible significado de esas palabras. Pon especial atención en la pronunciación de la vocal, que no diptonga, ni se abre en [ɜː] ni debe hacerse [ə]

tete	mese	pez	mes
mete	pese	tez	des
vete	bese	vez	les

4.2.3. Escucha y repite las siguientes palabras. Aunque todas existen en español, no pienses en el posible significado de esas palabras. Pon especial atención en la pronunciación de la vocal

ere	beber	ele	el
espere	ver	eleve	del
berebere	ser	vele	gel

4.2.4. Escucha y repite las siguientes palabras. Aunque todas existen en español, no pienses en el posible significado de esas palabras. Pon especial atención en la pronunciación de la vocal

ene	tren	memez	vence	empeñe
cene	ten	nene	vende	ente
lene	ven	eñe	vengue	vente

4.2.5. Escucha y repite las siguientes palabras. Aunque todas existen en español, no pienses en el posible significado de esas palabras. Pon especial atención en la pronunciación de la vocal

césped	semestre	herpex	pesebre	lembre
celeste	pedestre	tenerte	medre	tendré
esmere	terrestre	verde	legre	entrene

4.3. I

Fonema: /i/
Sonido: [i]
Grafía: *i, y*
Nombre de la letra: *i = i; y = i griega*
Ejemplo: wh*i*sk*y*
Equivalencia en otras lenguas: ing. wh*i*sk*ey* (w*e*, s*ea*, m*ee*t); fr. wh*i*sk*y*; it. wh*i*sk*y*; al. Wh*i*sk*y*; jap. w*i*suki:

4.3.1. Escucha y repite estas secuencias de sonidos vocálicos

1. i - e	3. e - i	5. i - e - i	7. e - i - e
2. i - u	4. u - i	6. i - u - i	8. u - i - u

4.3.2. Escucha y repite las siguientes palabras. Aunque todas existen en español, no pienses en el posible significado de esas palabras. Pon especial atención en la pronunciación de la vocal

ti	tris	tití	jipi	mili
si	sis	sirirí	pichi	gili
mí	mis	viví	pipi	piripi
pi	pis	pipí	quivi	guiri

4.3.3. Escucha y repite las siguientes palabras. Aunque todas existen en español, no pienses en el posible significado de esas palabras. Pon especial atención en la pronunciación de la vocal

hindí	inri	sirimiri	birlí
mini	biquini	cri - crí	

4.4. O

Fonema: /o/
Sonido: [o̞]
Grafía: *o*
Nombre de la letra: *o*
Ejemplo: T*o*ki*o*
Equivalencia en otras lenguas: ing. T*o*ky*o*, algo más larga; fr. T*o*ky*o*; it. T*o*ki*o*; al. T*o*ki*o*; jap. k*o*ppu, T*o:*ki*o:*, más corta

4.4.1. Escucha y repite estas secuencias de sonidos vocálicos

1. o - a	3. a - o	5. o - a - o	7. a - o - a
2. o - u	4. u - o	6. o - u - o	8. u - o - u

4.4.2. Escucha y repite las siguientes palabras. Aunque todas existen en español, no pienses en el posible significado de esas palabras. Pon especial atención en la pronunciación de la vocal, que no diptonga ni debe hacerse [ə]

coco	moco	rococó	ñocos	logo
cojo	foco	chocó	pocos	dogo
loco	zoco	trocó	troco	mogo

4.4.3. Escucha y repite las siguientes palabras. Aunque todas existen en español, no pienses en el posible significado de esas palabras. Pon especial atención en la pronunciación de la vocal

oro	sor	dolo	sol	toldo
coro	cor	molo	col	
moro	loor	bolo	formol	

4.4.4. Escucha y repite las siguientes palabras. Aunque todas existen en español, no pienses en el posible significado de esas palabras. Pon especial atención en la pronunciación de la vocal

cono	pon	mono	bombo	tonto
fono	tocón	nono	hondo	ronco
bono	molón	moño	bongo	oncólogo

4.4.5. Escucha y repite las siguientes palabras. Aunque todas existen en español, no pienses en el posible significado de esas palabras. Pon especial atención en la pronunciación de la vocal

porco	ogro	sordo	rostro
torco	logro	otorgo	costro
orco	cobro	sorgo	ostro

4.4.6. Escucha y repite las siguientes palabras

amigo – amiga	comieron - comieran
gato – gata	hablaron - hablaran
cano – cana	miraron - miraran
chico – chica	vieron - vieran

4.5. U

Fonema: /u/
Sonido: [u]
Grafía: *u, w*
Nombre de la letra: *u = u; w = uve doble, ve doble, doble uve*
Ejemplo: Per*ú, W*ashington
Equivalencia en otras lenguas: ing. Per*u*; fr. Pér*ou*; it. Per*u*; al. Per*u*; jap. Per*u:*

4.5.1. Escucha y repite estas secuencias de sonidos vocálicos

1. u - o	3. o - u	5. u - o - u	7. o - u - o
2. u - i	4. i - u	6. u - i - u	8. i - u - i

4.5.2. Escucha y repite las siguientes palabras. Aunque todas existen en español, no pienses en el posible significado de esas palabras. Pon especial atención en la pronunciación de la vocal

cu	bu	curucú	cururú	zulú	tuntún
cucú	mu	cuscús	frufrú	gluglú	unjú
gugú	tu	fufú	tururú	bululú	
gurú	su	vudú	urubú		

4.6. Prácticas de vocales y secuencias vocálicas

4.6.1. Escucha y
a) Marca con «+» las cinco palabras que vas a oír en primer lugar.
b) Repite todas las palabras en el orden en que aparecen

pera	vendí	oso	uno	aso
mismo	mona	tosí	mire	mano
tisú	bolero	tuno	para	policía

4.6.2. Escucha y
a) Numera según el orden de la grabación las diez primeras palabras que vas a oír.
b) Repite todas las palabras en el orden en que aparecen

vereda	triste	mundano	pérdida	viniste
antes	colega	palo	parada	muda
mudó	lelo	moneda	volaba	vanidad

4.6.3. Escucha y
a) Marca con «+» las cinco palabras que vas a oír en primer lugar.
b) Repite todas las palabras en el orden en que aparecen

ciego	raíl	vehículo	alergia	reina
duración	aúna	viaje	poeta	periodo
vigilancia	paseo	averiguáis	cuadro	buey

4.6.4. Escucha y
a) Numera según el orden de la grabación las diez primeras palabras que vas a oír.
b) Repite todas las palabras en el orden en que aparecen

cuerpo	leer	caí	reír	hielo
conocimiento	limpiáis	fuerte	vicio	audición
trofeo	austero	biología	María	ciudad

5/ Las consonantes del español

5.1. Consonantes orales

LABIALES

5.1.1. P

Fonema: /p/
Sonido: [p]
Grafía: *p, P*
Nombre de la letra: *pe*
Ejemplo: *P*erú, ca*p*a, a*p*to
Equivalencia en otras lenguas: ing. *P*erú, sin aspiración; fr. *P*érou; it. *P*eru; al. *P*eru; jap. *P*eru

5.1.1.1. Escucha y
a) Marca con «+» las diez palabras que vas a oír en primer lugar.
b) Repite todas las palabras en el orden en que aparecen

pura	pupa	opina	para	carpa
puso	policía	Pepe	paraba	propio
puesto	poco	palpar	paso	plato

5.1.1.2. Escucha y

a) **Numera según el orden de la grabación las cinco primeras palabras que vas a oír.**

b) **Repite todas las palabras en el orden en que aparecen. Observa que la pronunciación de la *p* es parecida a la de *b* cuando va en posición final de sílaba. Observa también la pronunciación en *psi-* y *pse-****

óptimo	Egipto	aptitud	psicólogo
opción	inepto	captar	pseudohumano
optimista	abrupto	apto	psiquiatría

*El grupo *ps-* a menudo se pronuncia como [s]. Véase prácticas de *s*.

5.1.2. B

Fonema: /b/
Sonido: [b]
Variante [β]: los labios no se tocan (esp. Ara*b*ia, ca*v*iar).
Grafías: *b, B; v, V*
Nombre de letras: *b = be, be alta/larga; v = uve, ve, ve baja/corta*
Ejemplos: *b*om*b*a, a*b*soluto, *v*isado
Equivalencia en otras lenguas: ing. *b*omb; fr. *b*ombe; it. *b*om*b*a; al. *B*om*b*e; jap. *b*akudan

5.1.2.1. Escucha y

a) **Marca con «+» las cinco palabras que vas a oír en primer lugar.**

b) **Repite todas las palabras en el orden en que aparecen**

búfalo	boca	bobo	cobra	barata
busco	bola	cabo	oblicuo	trombo
bueno	bono	cebo	cable	bamba

5.1.2.2. Escucha las siguientes series y repítelas tres veces cada una

SERIE	*1*	*2*	*3*	*4*
	ese	ese	ese	ese
	efe	efe	efe	efe
	afe	ebe	ife	afe
	afa	debe	ifo	afo
	aba		ivo	abo
	pasaba		motivo	cabo

5.1.2.3. Escucha y
a) Numera según el orden de la grabación las diez primeras palabras que vas a oír.
b) Repite todas las palabras en el orden en que aparecen

obcecar	obsequio	abdomen	absorber
observar	obstáculo	abdicar	abstemio
objeto	obsceno	absoluto	abstracto

5.1.3. F

Fonema: /f/
Sonido: [f]
Grafía: *f, F*
Nombre de la letra: *efe*
Ejemplo: *f*otogra*f*ía, na*f*talina, ¡U*f*!
Equivalencia en otras lenguas: ing. *ph*otogra*ph*, *F*rance; fr. *ph*otogra*ph*ie, *F*rance; it. *f*otogra*f*ia, *F*rancia; al. *Ph*otogra*ph*ie, *F*rankreich; jap. *F*uransu

5.1.3.1. Pon atención en los siguientes pares de palabras. Oirás la pronunciación de una de las palabras de cada pareja. Marca con «+» las palabras que vas a oír. Después oirás la pronunciación de todas las palabras. Escucha y repite

foco / zoco	fiebre / cielo	fofa / floja
fofo / rozo	feo / cerco	tufo / lujo
faca / zafa	ánfora / úlcera	fuel / juez
sofá / loza	solfa / colza	fuera / juerga

5.1.3.2. Escucha y
a) Numera según el orden de la grabación las diez primeras palabras que vas a oír.
b) Repite todas las palabras en el orden en que aparecen

fino	fecha	foca	fuerza	frente	nafta
filo	farsa	fogón	fuego	frontal	oftalmólogo
feliz	fama	fusta	fuelle	cofre	liftar

5.1.4. PRÁCTICAS DE CONSONANTES LABIALES

5.1.4.1. A continuación vas a oír una serie de palabras, cada una de ellas precedida de un número. Después de oír una palabra, escríbela en el lugar correspondiente

1.	6.	11.
2.	7.	12.
3.	8.	13.
4.	9.	14.
5.	10.	15.

5.1.4.2. Escucha y repite todas las palabras en el orden en que aparecen

bobos	pufo	pobre	palpa	captó
puso	buzo	sufro	farsa	objetó
tufo	puro	compro	barba	abstemio

DENTALES

5.1.5. T

Fonema: /t/
Sonido: [t]
Grafía: *t, T*
Nombre de la letras: *te*
Ejemplo: *t*oma*t*e, a*t*le*t*a, e*t*nia
Equivalencia en otras lenguas: ing. *t*oma*t*o, dental sin aspiración; fr. *t*oma*t*e; it. *T*in*t*a; al. *T*oma*t*e; jap. *t*omato

5.1.5.1. Pon atención en los siguientes pares de palabras. Oirás la pronunciación de una de las palabras de cada pareja. Marca con «+» las palabras que vas a oír. Después oirás la pronunciación de todas las palabras. Escucha y repite

multa / mucha	mete / leche	dato / dado
mato / macho	entero / mechero	trabó / dragón
cata / cacha	pita / ficha	entré / vendré

5.1.5.2. Escucha y
a) Marca con «+» las diez palabras que vas a oír en primer lugar.
b) Repite todas las palabras en el orden en que aparecen

tití	late	tarta	trato	etnia	topo
tiene	tela	atleta	trasto	Etna	tuna
tina	falta	Atlántico	contra	Vietnam	tuba

5.1.6. D

Fonema: /d/
Sonido: [d]
Variante [ð]: la lengua no llega a tocar los dientes (esp. de*d*o).
Grafía: *d, D*
Nombre de la letra: *de*
Ejemplo: *d*ato, *d*a*d*o, a*d*scrito, ver*dad*
Equivalencia en otras lenguas: ing. *d*ata, dental; fr. *d*onnée; it. *d*ato; al. *D*aten; jap. *d*epa:to

5.1.6.1. Pon atención en los siguientes pares de palabras. Oirás la pronunciación de una de las palabras de cada pareja. Marca con «+» las palabras que vas a oír. Después oirás la pronunciación de todas las palabras. Escucha y repite

vete / sede	de / ye	cada / casa
seta / seda	deba / yema	dale / sale
siete / sede	lado / mayo	dedo / seso
materia/ madera	podo / poyo	dad / das

5.1.6.2. Escucha las siguientes series y repítelas tres veces cada una

SERIE	*1*	*2*	*3*	*4*
	ese	ese	ese	ese
	ase	ose	ise	ase
	ade	ode	iso	aso
	lade	mode	ido	ado
	ladera	modelo	cosido	nado

5.1.6.3. Escucha y
a) Marca con «+» las cinco palabras que vas a oír en primer lugar.
b) Repite todas las palabras en el orden en que aparecen

divo	directo	dato	adquirir
dedito	delega	dará	verdad
dinero	detener	queda	adscribir

5.1.7. Z, C

Fonema: /θ/
Sonido: [θ]
Articulación: los labios se ponen separados; la lengua se apoya entre los incisivos superiores e inferiores; el aire sale sin interrupción por el centro de la boca; las cuerdas vocales no vibran.
Movimiento: la lengua se introduce ligeramente entre los dientes incisivos superiores e inferiores; el aire produce un rozamiento al pasar por este lugar.
Grafía: *z, Z* (+ *a, o, u*); *c, C* (+ *e, i*)

za	⇒	[θ]
zo	⇒	[θ]
zu	⇒	[θ]
ce, ze	⇒	[θ]
ci, zi	⇒	[θ]

Nombre de las letras: *c* = *ce*; *z* = *zeta*
Ejemplo: *z*apato, *c*a*z*o, *z*umo, ve*z*, *c*eni*c*ero, *c*ielo
Equivalencia en otras lenguas: ing. *th*ank, mon*th*, *th*in

5.1.7.1. Escucha y
a) Marca con «+» las cinco palabras que vas a oír en primer lugar.
b) Repite todas las palabras en el orden en que aparecen

cena	cieno	pecera	maza	zona
cita	cisco	meció	zapato	zueco
cepo	ciento	sucio	pozo	zulú

*Los hablantes que sesean pronuncian las letras *c* y *z* como [s].

5.1.7.2. Escucha y

a) **Numera según el orden de la grabación las diez primeras palabras que vas a oír.**

b) **Repite todas las palabras en el orden en que aparecen**

bizco	vizconde	tez	eficaz	arroz
bizcocho	vez	estrechez	veraz	albornoz
Vizcaya	delgadez	incapaz	paz	testuz

DENTAL - ALVEOLAR

5.1.8. S

Fonema: /s/

Sonido: [s]

Movimiento: la parte anterior de la lengua se eleva hasta los alveolos superiores y produce un rozamiento (*pronunciación alveolar*); en el sur de España, Canarias y América, la parte anterior de la lengua se aproxima o apoya en los dientes incisivos inferiores, mientras el dorso se aproxima a los alveolos superiores y produce un rozamiento.

Grafía: *s, S* (también *c, z* en las zonas de seseo); *x* (ante consonante)

Nombre de la letra: *ese*

Ejemplo: mi*s*a, *s*o*s*o, má*s*, ha*s*ta

Equivalencia en otras lenguas: ing. ma*ss*; fr. me*ss*e; it. me*ss*a; al. Me*ss*e; jap. *s*en*s*ei

5.1.8.1. Pon atención en los siguientes pares de palabras. Oirás la pronunciación de una de las palabras de cada pareja. Marca con «+» las palabras que vas a oír. Después oirás la pronunciación de todas las palabras. Escucha y repite*

cede / sede	cima / sima	poso / pozo	musa / mucha
ciento / siento	casa / caza	mes / vez	sapo / chapa
cocer / coser	caso / cazo	pies / pez	fresa / flecha

*Los hablantes que sesean pronuncian las letras *c* y *z* como *s*. Los hablantes que cecean pronuncian la letra *s* como [θ], pero esta pronunciación es poco frecuente y no es correcta ni prestigiosa.

5.1.8.2. Escucha y
a) Marca con «+» las cinco palabras que vas a oír en primer lugar.
b) Repite todas las palabras en el orden en que aparecen

des	salsa	astas	asesinos	defensa
mesa	tres	sesgo	suaves	farsa
eses	tasa	extraordinario*	vestidos	bolsa

*Es frecuente la pronunciación de la *x* como [s] ante consonante. Véase prácticas de *g*.

5.1.8.3. Pon atención en las siguientes secuencias de palabras. Escucha y repite. Observa cómo la *s* interior se une a la vocal siguiente

dos y tres	casas azules	antes o después
más o menos	Buenos Aires	cantas y bailas
unos y otros	sapos y culebras	fiestas en verano

*Véase prácticas de la sílaba.

5.1.9. PRÁCTICAS DE CONSONANTES DENTALES Y ALVEOLARES

5.1.9.1. A continuación vas a oír una serie de palabras, cada una de ellas precedida de un número. Después de oír una palabra, escríbela en el lugar correspondiente

1.	6.	11.
2.	7.	12.
3.	8.	13.
4.	9.	14.
5.	10.	15.

5.1.9.2. Repite todas las palabras en el orden en que aparecen

seudónimo	atletismo	bostezos	portadora
psicología	molde	trazados	extensos
maestro	tozudos	sostener	disfraz

VELARES

5.1.10. C, K, Q

Fonema: /k/
Sonido: [k]
Grafía: *c, C* (+ *a, o, u*); *qu, Qu* (+ *e, i*); *k, K; x, X* (se pronuncia [ks])

ca	⇒	[k]
co	⇒	[k]
cu	⇒	[k]
que, ke	⇒	[k]
qui, ki	⇒	[k]

Nombre de las letras: *c = ce; q = cu; k = ka; x = equis*
Ejemplos: a*c*ústi*c*a, *c*o*c*o, a*c*to, a*c*ción, *qu*ímica, *k*ilo, e*x*amen
Equivalencia en otras lenguas: ing.a*c*ousti*c*, *qu*ay, *k*ilo, sin aspiración; fr. a*c*oustique, *qu*and, *k*ilo; it. a*c*usti*c*a, *k*ilo; al. A*k*usti*k*, *K*ilo; jap. To:*k*yo:, *k*a:do

5.1.10.1. Escucha y
a) Marca con «+» las diez palabras que vas a oír en primer lugar.
b) Repite todas las palabras en el orden en que aparecen

coco	culpa	cuerpo	quiere	kilo
coca	saco	ocupo	quemar	kiosco
cogote	poco	oculista	aquí	Pekín

5.1.10.2. Escucha y

a) **Numera según el orden de la grabación las cinco primeras palabras que vas a oír.**

b) **Repite todas las palabras en el orden en que aparecen. Observa que la pronunciación de la *c* es parecida a la de *g* cuando va en posición final de sílaba**

producto	pacto	acción	satisfacción
conductor	víctima	lección	inyección
acto	proyecto	protección	diccionario

5.1.11. G, GU

Fonema: /g/

Sonido: [g]

Variante [γ]: la parte posterior de la lengua no llega a tocar el velo del paladar (esp. da*g*a, lar*g*o, la*g*una).

Grafía: *g, G* (+ *a, o, u*); *gu, Gu* (+ *e, i*); *x, X* (se pronuncia [gs])

Nombre de la letra: *g* = *ge; x* = *equis*

Ejemplo: *g*ala, *g*odo, *g*uardián, *gu*erra, *Gu*inea, di*g*no, e*x*amen

Equivalencia en otras lenguas: ing. *g*ala, *g*olf; fr. *g*ala, *g*olf; it. *g*ala, *g*olf; al. *G*ala; *g*orufu

5.1.11.1. Escucha y

a) **Marca con «+» las diez palabras que vas a oír en primer lugar.**

b) **Repite todas las palabras en el orden en que aparecen**

gusto	golfo	guerrero	cigüeña	dogma
guadaña	gago	guía	halagüeño	digno
gula	ganga	vaguedad	lingüística	ignorar

5.1.11.2. Escucha las siguientes series y repítelas tres veces cada una

SERIE	*1*	*2*	*3*	*4*
	ese	ese	ese	ese
	ase	ose	ise	ase
	aso	oye	isi	aso
	ado	ogue	isi	ago
	pagado	hoguera	guiso	trago

5.1.11.3. Escucha y

a) **Numera según el orden de la grabación las cinco primeras palabras que vas a oír.**

b) **Repite todas las palabras en el orden en que aparecen. Observa la pronunciación de *x* como [gs]. La pronunciación de la letra *x* como [ks] aparece en el habla muy cuidada o enfática**

examen	asfixia	torax	extranjero*
exacto	laxo	fax	extra*
exilio	éxodo	relax	excéntrico*

*En estos casos, ante consonante, es frecuente la pronunciación de *x* como [s]. Ver prácticas de *s*.

5.1.12. J, G

Fonema: /χ/

Sonido: [χ]

Articulación: los labios se ponen separados; la parte posterior de la lengua se apoya en el velo del paladar; el aire sale sin interrupción por la boca; las cuerdas vocales no vibran.

Movimiento: la parte posterior del dorso de la lengua se aproxima al velo del paladar; el aire produce un rozamiento al pasar por este lugar.

Grafía: *j, J* (+ *a, o, u, e, i*); *g, G* (+ *e, i*)

ja	⇒	[χ]
jo	⇒	[χ]
ju	⇒	[χ]
je, ge	⇒	[χ]
ji, gi	⇒	[χ]

Nombre de las letras: *j* = *jota*; *g* = *ge*

Ejemplos: *j*amón, *j*ota, *j*unco, mon*j*a, relo*j*, *g*eneroso, *g*iba

Equivalencia en otras lenguas: al. Bu*ch*

Variante fónica: en muchos lugares de España y de América se pronuncia como aspirada, con un sonido más suave [h].

5.1.12.1. Escucha y

a) **Marca con «+» las cinco palabras que vas a oír en primer lugar.**

b) **Repite todas las palabras en el orden en que aparecen**

junio	joven	majo	jamón	mujer
junta	jornal	paja	jefe	jirafa
jueves	flojo	jarana	genio	pajita

*En muchos lugares de España y de América se pronuncia como aspirada, con un sonido más suave.

5.1.12.2. Escucha y

a) **Numera según el orden de la grabación las cinco primeras palabras que vas a oír.**

b) **Repite todas las palabras en el orden en que aparecen**

manjar	Benjamín	angina	virgen	boj
naranja	ángel	margen	álgido	reloj
toronja	fingir	marginal	analgésico	contrarreloj

5.1.13. PRÁCTICAS DE CONSONANTES VELARES

5.1.13.1. A continuación vas a oír una serie de palabras, cada una de ellas precedida de un número. Después de oír una palabra, escríbela en el lugar correspondiente

1.	6.	11.
2.	7.	12.
3.	8.	13.
4.	9.	14.
5.	10.	15.

5.1.13.2. Repite todas las palabras en el orden en que aparecen

cajón	gajo	cascajo	dignidad	actual
japonés	gorgorita	cargar	acceso	grupo
gerente	estropajo	graja	gigante	brujo

PALATALES

5.1.14. CH

Fonema: /t͡ʃ/
Sonido: [t͡ʃ]

Articulación: los labios se ponen separados; la parte anterior de la lengua se apoya en la parte anterior del paladar; el aire sale por el centro de la boca con una interrupción muy breve; las cuerdas vocales no vibran.

Movimiento: la parte anterior del dorso de la lengua se une a la parte anterior del paladar durante un breve instante e inmediatamente se afloja la presión para producir un rozamiento del aire al pasar por este lugar.

Grafía: *ch, Ch*

Nombre de la letra: *che*

Ejemplo: *ch*ocolate, mu*ch*o

Equivalencia en otras lenguas: ing. *ch*ocolate; it. *c*irco; al. Ku*tsch*e; jap. *Ch*u:goku

5.1.14.1. Escucha las siguientes series y repítelas tres veces cada una

SERIE	*1*	*2*	*3*	*4*	*5*
	ata	ate	ete	oto	uto
	atia	atie	etie	otio	utio
	atcha	atche	etche	otcho	utcho
	hacha	hache	leche	ocho	ucho

5.1.14.2. Pon atención en los siguientes pares de palabras. Oirás la pronunciación de una de las palabras de cada pareja. Marca con «+» las palabras que vas a oír. Después oirás la pronunciación de todas las palabras. Escucha y repite

eche / ese	mancho / manso	china / tina	cincha / cinta
pecho / peso	percha / persa	Chema / tema	puncha / punta
cacho / caso	colcha / bolsa	chapa / tapa	parche / parte

5.1.14.3. Escucha y

a) **Numera según el orden de la grabación las cinco primeras palabras que vas a oír.**

b) **Repite todas las palabras en el orden en que aparecen**

China	checo	marche	chaval	ancho
chispa	chelín	bache	chopo	gancho
chivo	cheque	hache	chulo	cancha

5.1.15. Y

Fonema: /y/
Sonido: [y]
Grafía: *y*, *Y* (también *ll* en las zonas de yeísmo)
Nombre de la letra: *i griega*, *ye*
Ejemplo: *y*ogur, ra*y*a

Equivalencia en otras lenguas: ing. *y*ogourt; fr. *y*ogourt, algo más tenso; it. *Io*gur, algo más tenso; al. *J*oghurt, algo más tenso; jap. *y*o:guruto, *y*ama

5.1.15.1. Escucha las siguientes series y repítelas tres veces cada una

SERIE	*1*	*2*	*3*	*4*	*5*
	de	da	do	du	di
	die	dia	dio	diu	dyi
	dye	dya	dyo	dyu	yi
	ye	ya	yo	yu	

5.1.15.2. Escucha y

a) **Numera según el orden de la grabación las cinco primeras palabras que vas a oír.**

b) **Repite todas las palabras en el orden en que aparecen**

yen	yegua	yugo	mayo	sello*
yeso	yago	huye	mayor	calle*
yerno	yoga	ensaye	hoyo	toalla*

*Estas formas se pronuncian con [y] en las zonas yeístas, en la mayor parte del mundo hispánico.

5.1.16.1. A continuación vas a oír una serie de palabras, cada una de ellas precedida de un número. Después de oír una palabra, escríbela en el lugar correspondiente

1.	6.	11.
2.	7.	12.
3.	8.	13.
4.	9.	14.
5.	10.	15.

5.1.16.2. Repite todas las palabras en el orden en que aparecen

rechoncho	plebeyo	paella	fecha	pachucho
ayunar	apoyo	Machado	maya	llorar
pachón	chinche	yedra	marcha	oyente

5.2. Consonantes nasales

5.2.1. M

Fonema: /m/
Sonido: [m]
Grafía: *m, M*; *n, N* (+ *v*)
Nombre de la letra: *eme*
Ejemplos: *m*adre, *m*i*m*o, bo*m*ba, álbu*m*, e*n*vío
Equivalencia en otras lenguas: ing. *m*other, *m*ilk; fr. *m*ère; it. *m*adre; al. *M*utter; jap. *m*iruku

5.2.1.1. Escucha y
a) Marca con «+» las cinco palabras que vas a oír en primer lugar.
b) Repite todas las palabras en el orden en que aparecen

mudo	romo	mano	camisa	ameno
momo	tomo	malo	minuto	menudo
mono	lomo	cama	meto	mirada

5.2.1.2. Escucha y

a) Numera según el orden de la grabación las cinco primeras palabras que vas a oír.

b) Repite todas las palabras en el orden en que aparecen

hombro	amplio	imposible	empacar	álbum*
hombre	amparo	impuesto	empezar	currículum*
ombligo	ampolla	impaciente	empinar	maremágnum*

*Frecuentemente se pronuncia como [n].

5.2.2. N

Fonema: /n/
Sonido: [n]
Variante: [ŋ] (*n* + *g, j, c, k*)
Grafía: *n, N*
Nombre de la letra: *ene*
Ejemplo: *n*atural, *n*e*n*e, mo*n*te, pere*nn*e, po*n*
Ejemplos de variante [ŋ]: ba*n*co, ra*n*go, á*n*gel.

Equivalencia en otras lenguas: ing. *n*atural; fr. *n*aturel; it. *N*aturale; al. *N*atürlich; jap. *n*amae

Equivalencia en otras lenguas para [ŋ]: ing. ba*n*k, fr. ba*n*que, it. ba*n*ca, al. Ba*n*k; jap. ginko:, kaba*n*

5.2.2.1. Escucha y

a) Marca con «+» las cinco palabras que vas a oír en primer lugar.

b) Repite todas las palabras en el orden en que aparecen

ninguno	nene	nana	noto	tren
nieto	necio	nava	cono	pon
manía	nevada	manada	nube	pan

5.2.2.2. Pon atención en las siguientes series de palabras. Escucha y repite. Observa que la posición de la lengua al pronunciar la *n* depende de la consonante que lleve detrás, como ocurre en inglés (asimilación)

Ante t, d, en los dientes	*Ante ch, en el paladar*	*Ante k, g, j, en el velo del paladar*	*Ante v, como m*
vender	ancho	hinca	envío
andar	Sancho	venga	envase
cantar	poncho	ángel	envenenar

5.2.2.3. Escucha las siguientes series y repítelas tres veces cada una

SERIE	*1*	*2*	*3*	*4*
	ente	inti	anta	onto
	ende	indi	anda	ondo
	ene	ini	ana	ono
	en	in	an	on

5.2.2.4. Pon atención en las siguientes secuencias de palabras. Escucha y repite. Observa que la pronunciación de la *n* interior se una a la de la vocal siguiente

buen amigo	un avión	bien y mal
en España	en auto	dan alegrías
tan alegre	un adelanto	son estupendos

*Véase prácticas de la sílaba.

5.2.3. Ñ

Fonema: /ɲ/
Sonido: [ɲ]
Articulación: los labios se ponen separados; la parte anterior de la lengua se apoya en la parte anterior del paladar; el aire sale por la nariz y la boca y se interrumpe al salir por ella; las cuerdas vocales vibran.
Movimiento: se apoya la lengua en la parte anterior del paladar y se hace salir el aire por la nariz.
Grafía: *ñ, Ñ*
Nombre de la letra: *eñe*
Ejemplo: espa*ñ*ol, *ñ*o*ñ*o
Equivalencia en otras lenguas: ing. o*ni*on, u*ni*on; fr. espa*gn*ol; it. spa*gn*olo

5.2.3.1. Pon atención en los siguientes pares de palabras. Oirás la pronunciación de una de las palabras de cada pareja. Marca con «+» las palabras que vas a oír. Después oirás la pronunciación de todas las palabras. Escucha y repite

eñe / eye	cañada / cayado	caño / cacho
cuña / cuya	seña / sella	niño / nicho
paño / payo	niña / villa	cuña / lucha
maño / mayo	maño / macho	moña / mocha

5.2.3.2. Escucha y
a) Numera según el orden de la grabación las cinco primeras palabras que vas a oír.
b) Repite todas las palabras en el orden en que aparecen

tiña	risueña	España	paño	ñoño
niña	caribeña	cabaña	año	ñu
piña	madrileña	tacaña	rebaño	ñoqui

5.2.4. PRÁCTICAS DE CONSONANTES NASALES

5.2.4.1. A continuación vas a oír una serie de palabras, cada una de ellas precedida de un número. Después de oír una palabra, escríbela en el lugar correspondiente

1.	6.	11.
2.	7.	12.
3.	8.	13.
4.	9.	14.
5.	10.	15.

5.2.4.2. Repite todas las palabras en el orden en que aparecen

Miño	mañana	andando	mosca	tótem
mamá	amperio	nunca	saña	ñoñería
nido	porteño	mando	nana	venganza

5.3. Líquidas

5.3.1. L

Fonema: /l/
Sonido: [l]
Grafía: *l*, *L*
Nombre de la letra: *ele*
Ejemplo: *l*oca*l*, a*l*to, p*l*ano
Equivalencia en otras lenguas: ing. *l*oca*l*; fr. *l*oca*l*; it. *L*oca*l*e; al. *L*oka*l*

5.3.1.1. Escucha y
a) Numera según el orden de la grabación las cinco primeras palabras que vas a oír.
b) Repite todas las palabras en el orden en que aparecen

lío	lelo	lana	ele	posible
lino	lento	lote	pela	cable
lila	letal	luna	mala	blanco

5.3.1.2. Pon atención en los siguientes pares de palabras. Oirás la pronunciación de una de las palabras de cada pareja. Marca con «+» las palabras que vas a oír. Después oirás la pronunciación de todas las palabras. Escucha y repite

cera / cela	mar / mal	babel / valer	blanco / bronco
pera / pela	finar / final	deber / bedel	Blasco / brazo
tira / tila	casar / casal	yermo / yelmo	noble / cobre
mora / mola	faltar / fatal	formo / colmo	posible / libre

5.3.1.3. Pon atención en las siguientes secuencias de palabras. Escucha y repite. Observa que la pronunciación de la *l* interior se une a la de la vocal siguiente

sol y sombra	mal estilo	al aire
mal o bien	piel arrugada	chal elegante
igual a ti	del arte	local aireado

*Véase prácticas de la sílaba.

5.3.2. LL

Fonema: /ʎ/
Sonido: [ʎ]
Nombre de la letra: *elle, doble ele*
Articulación: los labios se ponen separados; parte del dorso de la lengua en el centro del paladar y los laterales de la lengua sobre las encías de las muelas superiores; el aire sale sin interrupción por un lado de la boca; las cuerdas vocales vibran.
Movimiento: la lengua forma un canal que va desde el centro hasta uno de los lados, por donde sale el aire.
Grafía: *ll, Ll*
Ejemplo: caste*ll*ano, *ll*eno
Equivalencia en otras lenguas: it. casti*gli*ano, consi*gli*o

5.3.2.1. Escucha y

a) Numera según el orden de la grabación las cinco primeras palabras que vas a oír.

b) Repite todas las palabras en el orden en que aparecen

llega	llano	paella	anillo	bollo
lleve	llanto	sombrilla	escollo	escabullo
llena	llama	Castilla	meollo	orgullo

5.3.2.2. Pon atención en los siguientes pares de palabras. Oirás la pronunciación de una de las palabras de cada pareja. Marca con «+» las palabras que vas a oír. Después oirás la pronunciación de todas las palabras. Escucha y repite

elle / eye	llave / yace	pollo / poyo
rallado / rayado	gallo / mayo	rollo / royo
callo / cayo	bolla / boya	capullo / suyo
rallo / rayo	lloro / yo	lluvia / yuca

*Esta distinción fonética es muy poco frecuente. Ver prácticas de *y*.

5.3.3. -R-

Fonema: /ɾ/

Sonido: [ɾ]

Articulación: los labios se ponen separados; la punta de la lengua se apoya en los alveolos; el aire sale por el centro de la boca y se interrumpe al salir muy brevemente; las cuerdas vocales vibran.

Movimiento: la lengua se desplaza para rozar los alveolos interrumpiendo brevemente la salida del aire.

Grafía: *r, R* (entre vocales y final de sílaba)

Nombre de la letra: *ere, erre*

Ejemplo: ce*r*o, da*r*, c*r*ema

Equivalencia en otras lenguas: ing. ze*r*o, más tensa; it. Ze*r*o; jap. Ka*r*ate. En inglés americano existe este sonido como variante de -t- o -d- intervocálicas tras sílaba acentuada: wa*t*er, be*tt*er, ri*d*er, a*t* all.

5.3.3.1. Escucha y

a) Numera según el orden de la grabación las cinco primeras palabras que vas a oír.

b) Repite todas las palabras en el orden en que aparecen

mire	seré	para	crema	pobre
tire	miré	víbora	micro	gremio
lira	verá	altura	bruto	sangre

5.3.3.2. Escucha y

a) Marca con «+» las cinco palabras que vas a oír en primer lugar.

b) Repite todas las palabras en el orden en que aparecen

ser	dar	firme	carta	puerta
ver	amar	perdón	corta	cierta
oler	armar	verdadero	muerta	abierta

5.3.3.4. Escucha y repite todas las palabras en el orden en que aparecen

Carlos	cargarlo	parlamento	orla
perla	verlo	comerlo	borla
mirlo	dividirlo	birlar	burla

5.3.4. R-, -RR-

Fonema: /r/

Sonido: [r]

Articulación: los labios se ponen separados; la punta de la lengua se apoya en los alveolos; el aire sale por el centro de la boca y se interrumpe repetidas veces, rápidas y breves, al salir por ella; las cuerdas vocales vibran.

Movimiento: la lengua se aproxima a los alveolos y realiza con fuerza un movimiento vibratorio muy rápido, interrumpiendo la salida del aire entre dos y cinco veces. Es difícil de pronunciar: lo importante es mantener la distinción con *r* simple.

Grafía: *r, R* (en inicio de palabra y precedido de *s, n, l*); *rr, RR* (entre vocales)

Nombre de la letra: *erre*

Ejemplos: *r*eloj, zo*rr*a, En*r*ique

Equivalencia en otras lenguas: it. bu*rr*o

5.3.4.1. Escucha las siguientes series y repítelas tres veces cada una

SERIE	*1*	*2*	*3*	*4*	*5*
	ti	te	ta	to	tu
	di	de	da	do	du
	dri	dre	dra	dro	dru
	drri	dre	drra	drro	drru
	ri	re	ra	ro	ru

5.3.4.2. Escucha y

a) Numera según el orden de la grabación las cinco primeras palabras que vas a oír.

b) Repite todas las palabras en el orden en que aparecen

erre	perra	marra	red	Enrique	rosa
cierre	cierra	carro	renta	enrosca	rubio
yerre	becerra	forro	rasa	roca	ruso

5.3.4.3. Repite todas las secuencias de palabras en el orden en que aparecen. Observa la pronunciación de *s* en contacto con *r*

las rosas	tres rayas	unas rectas
dos remos	das razones	varios recibos
unos rayos	ves restos	estás ronco

5.3.4.4. Pon atención en los siguientes pares de palabras. Oirás la pronunciación de una de las palabras de cada pareja. Marca con «+» las palabras que vas a oír. Después oirás la pronunciación de todas las palabras. Escucha y repite

ere / erre	cero / cerro	caro / carro
pera / perra	para /	parra vara / barra
mira / mirra	moro /morro	Ciro / cirro

5.3.4.5. Pon atención en los siguientes pares de palabras. Oirás la pronunciación de una de las palabras de cada pareja. Marca con «+» las palabras que vas a oír. Después oirás la pronunciación de todas las palabras. Escucha y repite

corro / cojo	parra / paja	reta / jeta
morro / mojo	marra / maja	rema / gema
recorro / recojo	corra / coja	Ramón / jamón

5.3.5. PRÁCTICAS DE LÍQUIDAS

5.3.5.1. A continuación vas a oír una serie de palabras, cada una de ellas precedida de un número. Después de oír una palabra, escríbela en el lugar correspondiente

1.	6.	11.
2.	7.	12.
3.	8.	13.
4.	9.	14.
5.	10.	15.

5.3.5.2. Repite todas las palabras en el orden en que aparecen

recibo	largar	carroza	cartero	mural
arar	llegar	ralladura	formol	sobre
arranque	hartura	oloroso	rasero	cráter

6/ La sílaba

Los fonemas del español se combinan en la cadena hablada formando ***sílabas***. El ***núcleo*** o centro de la sílaba siempre es una vocal.

Las sílabas más frecuentes del español suelen tener alguna de las siguientes composiciones:

* ***Vocal***	*a, o*
* ***Consonante + Vocal***	*pa, te*
* ***Consonante + Vocal + Consonante***	*ten, mas*
* ***Vocal + Consonante***	*in, en, os*

Todos estos tipos de sílabas pueden encontrarse en las palabras que se han practicado en lecciones anteriores También son habituales, aunque algo menos frecuentes, las sílabas con la composición siguiente:

* ***Consonante + Consonante (líquida) + Vocal***	*bra, ple*
* ***Consonante + Consonante (líquida) + Vocal + Consonante***	*tran, clan*

Así pues, hay que recordar que en español es posible encontrar en la misma sílaba ***dos consonantes seguidas***, pero ***antes de la vocal***, casi nunca después. También es posible encontrar dos o tres vocales seguidas, que formarán, respectivamente, un ***diptongo*** o un ***triptongo*** (ver lección 3: combinaciones de vocales).

6.1. Escucha y repite las siguientes sílabas

pre	pra	pru	pro	pri	pla	ple	pli	plo	plu
tre	tra	tru	tro	tri	cla	cle	cli	clo	clu
cre	cra	cru	cro	cri	bla	ble	bli	blo	blu
bre	bra	bru	bro	bri	gla	gle	gli	glo	glu
dre	dra	dru	dro	dri	tla*	tle*			
gre	gra	gru	gro	gri					

*Pronunciadas como sílabas en América.

6.1. Escucha y repite las siguientes sílabas

pre	pra	pru	pro	pri	pla	ple	pli	plo	plu
tre	tra	tru	tro	tri	cla	cle	cli	clo	clu
cre	cra	cru	cro	cri	bla	ble	bli	blo	blu
bre	bra	bru	bro	bri	gla	gle	gli	glo	glu
dre	dra	dru	dro	dri	tla*	tle*			
gre	gra	gru	gro	gri					

*Pronunciadas como sílabas en regiones de América.

6.2. Escucha y repite las siguientes sílabas

pran	pras	tran	tras	cran	cras	bran	bras	dran	dras	gran	gras
pren	pres	tren	tres	cren	cres	bren	bres	dren	dres	gren	gres
prin	pris	trin	tris	crin	cris	brin	bris	drin	dris	grin	gris
pron	pros	tron	tros	cron	cros	bron	bros	dron	dros	grin	gros
prun	prus	trun	trus	crun	crus	brun	brus	drun	drus	grun	grus

6.3. Escucha y repite las siguientes sílabas

plan	plas	clan	clas	blan	blas	glan	glas
plen	ples	clen	cles	blen	bles	glen	gles
plin	plis	clin	clis	blin	blis	glin	glis
plon	plos	clon	clos	blon	blos	glon	glos
plun	plus	clun	clus	blun	blus	glun	glus

6.4. Escucha y repite las siguientes sílabas

abs	gangs*	ters	cons
ads	hams*	ins	obs
trans	pers	cuns	sols

*Sílabas con origen en otras lenguas.

Normas para la división silábica

La separación de sílabas no resulta especialmente complicada en español, pero debe ajustarse a unas normas que no coinciden necesariamente con las de otras lenguas. Veamos algunas de estas normas de división silábica.

- Dos vocales en diptongo forman parte de la misma sílaba.

pie, vue – lo, a – mian – to,

- Dos vocales en hiato forman parte de sílabas diferentes.

te – a – tro, ca – no – a, vi – gí – a, co – he – te

- Una consonante entre dos vocales se agrupa en la misma sílaba que la segunda vocal.

V + C + V = V - CV
a – sa, ca – de – na, te – le – vi – sión

- Las consonantes *r* y l, precedidas de las consonantes *p, b, c, g* y *f*, forman con ellas un grupo inseparable dentro de la misma sílaba. Lo mismo ocurre con *r* precedida de *t* o *d*.

pre – cio, blan – co, tra – go, gra – cias, frí – o
ca – bra, an – cla, ma – dre, a – fli – gi – do

- Dos consonantes seguidas, dentro de una misma palabra, forman parte de sílabas diferentes:

V + C + C + V = V C – C V
an – tes, ván – da – lo, per – do – nar, car – te – ris – ta

- Dos consonantes seguidas en posición inicial de palabra forman parte de la misma sílaba:

psi – có – lo – go, gno – mo

- Tres consonantes seguidas, cuando la última es *r* o *l*, se dividen agrupando las dos últimas en la misma sílaba:

V + C + C + C (líquida) + V = V C – C C (líquida) V
ham – bre, im – pro – ba - ble, des – pre – cio

- Tres consonantes seguidas, cuando la última no es *r* o *l*, se dividen agrupando las dos primeras en la misma sílaba:

V + C + C + C (no líquida) + V = V C C – C (no líquida) V
ins – pec – tor, trans – fe – rir

6.5. Escucha y repite las siguientes palabras divididas en sílabas

ca – mi – no	ven – ta – na	al – to	ins – truc – ción	cen – ce – rro
te – ja – do	tran – qui – lo	as – per – sor	trans – por – tar	sig - no
po – ta – ble	can – san – cio	es – tric – to	pres – cri – bir	sub – ra – yar*

*En este caso puede encontrarse una división morfológica (*sub-ra-yar*) o fonética (*su-bra-yar*).

6.6. Marca con una línea vertical la división silábica correcta de las siguientes palabras. Después escucha la cinta: oirás un número; a continuación debes pronunciar la palabra correspondiente haciendo una breve pausa entre las sílabas; luego oirás la pronunciación de la palabra

1. adjuntar	6. león	11. absolutista
2. ahumar	7. mientras	12. perspicacia
3. cápsula	8. azahar	13. aunar
4. exterior	9. ungüento	14. antepuesto
5. desgarrar	10. distracción	15. estropeado

6.7. A continuación vas a escuchar una serie de palabras pronunciadas de manera continua. Tras cada palabra habrá un silencio para que intentes pronunciarla haciendo pequeñas pausas entre las sílabas. Después oirás la misma palabra pronunciada con pausas entre sílabas, para que compruebes si tu división ha sido correcta

perspectiva	descriptivo	infringir
transporte	reabsorber	abscisa
constitución	perspicaz	bíceps
subterráneo	experiencia	plasmar
desplegar	actriz	atmósfera

6.8. Coloca en la columna correspondiente las palabras de 2, 3 y 4 sílabas que aparecen en la parte inferior del cuadro

DOS SÍLABAS	*TRES SÍLABAS*	*CUATRO SÍLABAS*
1.	1.	1.
2.	2.	2.
3.	3.	3.
4.	4.	4.
5.	5.	5.

abstraído, acentúo, ahuecar, ahumar, aliento, almohada, aorta, boato, camaleón, fuego, hielo, peine, santiguáis, serpentea, viaje.

Agrupaciones de sílabas

Las sílabas se agrupan para su pronunciación formando ***palabras*** y formando ***grupos fónicos***, estos últimos de mayor importancia para la fonética. Los grupos fónicos reúnen en una misma emisión de voz elementos que suelen estar relacionados por su función gramatical, por su contenido o por su función comunicativa.

Las ca – sas blan – cas
Con – si – de – ró to – das las po – si – bi – li – da – des
¡Por fa – vor!

Los grupos fónicos se pronuncian sin pausa en un mismo enunciado. Su extensión es variable. En español suelen tener entre siete (7) y once (11) sílabas, pero puede haber grupos fónicos de una sola sílaba:

Tie – ne que ce – nar tem – pra – no = ***8 sílabas***
¡Oh! = ***1 sílaba***

Dentro de un grupo fónico es posible la formación de diptongos o triptongos con vocales que pertenecen a palabras distintas. En español, en el mismo contexto, también es posible la pronunciación abreviada de dos vocales iguales. Esto es una característica importante del español, ya que en inglés se tiende a separar las vocales de palabras distintas.

6.9. Escucha y repite los siguientes enunciados. Oirás una vez cada enunciado, tendrás un tiempo para repetirlo y después volverás a oírlo antes de pasar al siguiente. Comprueba que se pueden unir algunas vocales pertenecientes a palabras distintas

Acompáñal*a a* casa
Siempre cosí*a y* cantaba
L*a a*legrí*a y* la tristeza
*Y e*ntonces habl*ó y* confesó
El cuarto d*e e*spera
La mula *y e*l buey
Corr*o o* ando tranquilo
El re*y y* la rein*a u*nidos
La niev*e y* la lluv*ia i*nundaron todo
La pertenenci*a a u*n grupo

Dentro del grupo fónico es posible la formación de sílabas diferentes de las palabras que lo forman. Generalmente ocurre cuando la consonante final de una palabra forma sílaba con la primera vocal de la palabra siguiente. Esto es una característica importante del español, ya que en inglés se tiende a pronunciar cada palabra separada de la siguiente.

6.10. Escucha y repite los siguientes enunciados. Oirás una vez cada enunciado, tendrás un tiempo para repetirlo y después volverás a oírlo antes de pasar al siguiente. Comprueba que se pueden formar nuevas sílabas con fonemas pertenecientes a palabras distintas

Sonrisa*s y* lágrimas
Lo*s he*cho*s a*nteriore*s a*l crimen
Canta*n y* baila*n y* beben
He visto lo peo*r y* lo mejor
La verda*d e*s una
El medio rura*l y u*rbano
El pez *a*zu*l e*s bonito
El clu*b e*xtranjero
Do*s y* do*s s*on cuatro
Tu relo*j es el a*marillo

7/ El acento

El acento es una propiedad de la sílaba por la cual las sílabas que lo reciben, llamadas ***sílabas tónicas***, se pronuncian con una mayor *intensidad* y *duración*, así como con una *subida del tono* de la vocal que forma su núcleo. Las ***sílabas átonas*** son aquellas que no reciben acento y que no tienen ni tanta intensidad ni tanta duración.

Por lo tanto, las sílabas tónicas del español suelen

- ser pronunciadas con ***mayor intensidad***
- ser algo ***más largas***
- tener un ***tono algo más elevado*** (sobre todo al pronunciar palabras aisladas).

7.1. Escucha y repite

dado	cara**col**	**pé**talo
gui**ta**rra	pa**pel**	**más**cara
pelo	ca**paz**	**mí**tico
nata	co**mer**	**cá**lido
caro	ver**dad**	**á**guila

7.2. Escucha y subraya las sílabas tónicas

canto	melón	ratón
Lucas	castaña	disquete
pastel	cántaro	libro
mágico	computadora	cabra
silla	pelado	árbol

También por el acento se distinguen en español las ***palabras tónicas*** y las ***palabras átonas***:

- ***las palabras tónicas*** son las que incluyen al menos una sílaba tónica: *más, así, canto*
- las ***palabras átonas*** son las que no incluyen ninguna sílaba tónica (suelen ser partículas gramaticales): *pero, con, la.* En su pronunciación es importante mantener el timbre, no reducir la vocal y no pronunciar [ə].

La mayoría de las palabras tónicas del español incluyen una sola sílaba tónica, pero en algunos casos pueden llevar hasta dos, normalmente en palabras compuestas y en los adverbios en *-mente*: *hispanoamericano, alegremente.*

7.3. Escucha y repite las siguientes palabras

hu**mil**de**men**te	**tris**te**men**te	**la**vava**ji**llas
porta**mi**nas	co**r**reca**mi**nos	**bus**ca**po**los
decimopri**me**ro	per**do**na**vi**das	**can**tama**ña**nas
saca**cor**chos	**me**tomen**to**do	**me**nos**pre**cio
boca**ca**lle	abre**bo**te**l**las	**final**men**te

El acento en español tiene una enorme importancia para la comunicación porque su posición en una sílaba u otra de una misma palabra puede dar lugar a cambios de significado.

término / termino / terminó

término: sustantivo 'fin, final'
termino: verbo, primera persona singular del presente del verbo *terminar*
terminó: verbo, tercera persona singular del perfecto simple del verbo *terminar*

7.4. Escucha y repite las siguientes palabras

calcu**ló**	termi**nó**	ani**mó**	**pa**so	**lí**o
cal**cu**lo	ter**mi**no	a**ni**mo	pa**só**	li**ó**
cálculo	**tér**mino	**á**nimo		

7.5. Escucha y subraya las sílabas tónicas de las siguientes palabras

práctico	género	practico	frío	venía
genero	tráfico	generó	venia	frió
traficó	practicó	trafico	espío	espió

Esquemas básicos de acentuación

El español es una lengua de acento libre, por lo que puede ir situado en diferentes sílabas de la palabra. Esta lengua cuenta con tres esquemas básicos:

1. ***Acento en sílaba final*: *agudo*** u oxítono (palabras agudas u oxítonas): *campeón, así, cantaré*

7.6. Escucha y repite las siguientes palabras. Cuando pronuncies cada una de ellas, acompaña la sílaba tónica con un golpe dado en la mesa con la mano

can**ción**	sa**lud**	be**bió**	com**pás**
ja**món**	alta**voz**	bam**bú**	ciem**piés**
cami**són**	pa**pel**	ceu**tí**	ja**más**
bi**dón**	moni**tor**	so**fá**	volve**réis**
col**chón**	devol**ver**	ca**fé**	a**nís**

2. ***Acento en penúltima sílaba*: *llano, grave*** o paroxítono (palabras llanas, graves o proparoxítonas): *casa, mermelada, virgen*

7.7. Escucha y repite las siguientes palabras. Cuando pronuncies cada una de ellas, acompaña la sílaba tónica con un golpe dado en la mesa con la mano

cara	**cár**cel	**co**sas
viaje	**Gó**mez	**mue**las
perla	**tú**nel	can**te**ras
pin**tu**ra	a**zú**car	mo**ne**das
bote	ca**rác**ter	**brus**cas

3. ***Acento en antepenúltima sílaba*: *esdrújulo*** o proparoxítono (palabras esdrújulas o proparoxítonas): *fantástico, química, informática, fonética*

7.8. Escucha y repite las siguientes palabras. Cuando pronuncies cada una de ellas, acompaña la sílaba tónica con un golpe dado en la mesa con la mano

química	**lú**gubre	**dá**selo
trópico	pa**té**tico	co**mén**talo
cáncamo	**sép**timo	**pár**tela
régimen	**pá**lido	**dí**gase
te**lé**fono	a**grí**cola	**mí**rala

A estos esquemas se puede añadir el sobresdrújulo, que aparece en una sílaba más allá de la antepenúltima, generalmente en los compuestos de verbos más pronombres personales: *cuéntaselo*

7.9. Escucha y repite las siguientes formas verbales. Cuando pronuncies cada una de ellas, acompaña la sílaba tónica con un golpe dado en la mesa con la mano

cómetelo	remo**vién**domelo	**pín**chaselo
véndemelo	pin**tán**dosela	**cór**tamelo
párteselo	prote**gién**dotela	**hiér**vetela
mírasela	perdo**nán**domelo	**mués**trasela
cántamelo	estu**dián**dosela	en**sé**ñamelo

7.10. Escucha y subraya las sílabas tónicas de las siguientes palabras

caracteres	mentís	tesis
precoz	vuelan	obligaciones
reloj	contad	atrás
último	dirigen	bestias
pesas	cómprala	físicos

7.11. Escucha y agrupa las palabras que aparecen en la parte inferior del cuadro según la posición del acento

AGUDAS	*GRAVES*	*ESDRÚJULAS*

acento, árbol, bélico, cefalópodo, cenó, circulo, distracción, domino, hábito, habrás, imposible, óptimo, pésimo, poder, rapaz.

7.12. Escucha y repite las siguientes palabras. Cuando pronuncies cada una de ellas, acompaña la sílaba tónica con un golpe dado en la mesa con la mano

po**lí**tica	**ú**til	**mú**sicos
nos**tal**gia	do**lor**	electrici**dad**
cal**cu**lo	mar**fil**	pe**or**
o**cé**ano	**me**nos	**ál**bum
su**frís**	des**pa**cio	estre**llar**

■ Generalmente, el cambio de singular a plural en las palabras no provoca un cambio de posición del acento, aunque aumente el número de sílabas: *cárcel / cárceles*

Pero esto no ocurre en algunos casos, en los que el acento se desplaza:

espécimen / especímenes
régimen /regímenes
carácter / caracteres

El acento ortográfico

El ***acento ortográfico***, también llamado ***tilde***, cumple la función de indicar en qué sílaba de una palabra recae la fuerza del acento fónico. En español solo existe una forma de acento gráfico, llamada ***acento agudo*** (´).

El uso del acento gráfico se rige por las siguientes reglas principales:

REGLAS GENERALES DE ACENTUACIÓN

- Llevan acento gráfico todas las palabras agudas u oxítonas terminadas en *n* en *s* o en vocal: *voló, canté, catalán, Japón, autobús.*
- Llevan acento gráfico todas las palabras llanas o paroxítonas terminadas en consonante que no sea *n* o *s*: *cárcel, mártir, Fernández.*
- Llevan acento gráfico todas las palabras esdrújulas o proparoxítonas y sobreesdrújulas: *águila, mágico, pónsela, díganselo, acompáñame.*
- En las sílabas con diptongo que deban llevar acento gráfico, este nunca puede escribirse sobre la vocal débil: *tráigamelo, náufrago.*
- El acento gráfico puede servir para marcar un hiato cuando aparecen dos vocales seguidas y una de ellas es *i* o *u*: *María, quería, aúna.*
- Las palabras monosílabas no llevan acento gráfico, excepto cuando el acento sirva para distinguir dos palabras idénticas, pero de categorías distintas con funciones gramaticales diferentes: *más/mas, tú/tu, mí/mi, sé/se, qué/que, cuánto/cuanto.*
- En las palabras compuestas de verbo más pronombre personal, se siguen las reglas explicadas más arriba para las palabras agudas, llanas y esdrújulas: *mantenla* (imperativo de *mantener*), sin acento por ser llana acabada en vocal; *díselo* (imperativo de *decir*), con acento por ser esdrújula.

7.13. Escucha las palabras siguientes, subraya la sílaba tónica y coloca el acento gráfico cuando sea necesario. Tendrás un tiempo para subrayar y escribir el acento gráfico

mortal	bebiendolo	pantalla
estropeando	margen	verdades
inutil	corcel	lucharas
alegria	escualido	pronunciacion
capacidad	visor	caminos

7.14. Lee las siguientes palabras colocando el acento en el lugar adecuado. Primero oirás el número correspondiente, después tendrás un tiempo para leer y escribir el acento gráfico, cuando sea necesario. Después oirás la pronunciación correcta

1. bebedor
2. buscalo
3. martillos
4. cantarin
5. comieron
6. cocinero
7. ladrillo
8. mortifero
9. capitan
10. ole
11. lapiz
12. regimenes
13. especiales
14. huida
15. Maria

7.15. Escucha las siguientes frases y coloca el acento gráfico donde sea necesario. Oirás cada frase dos veces

1. Dime por que estaban poniendose todos esos pantalones mios
2. No se lo que tu piensas de mi ni por que estas siempre asi de feliz
3. Queria saber cuanto tiempo durarian en esa posicion tan dificil
4. El dragon volo cerca de el sin rozar las copas de los arboles
5. Cuanto mas lo pienses, menos lo entenderas: la vida es asi

8/ La entonación

La entonación del español se manifiesta sobre uno o más grupos fónicos, que se integran bajo una ***curva melódica***, también llamada ***curva de entonación.*** Esta curva se consigue haciendo subir o bajar el tono de la voz y, de forma complementaria, aumentando o disminuyendo la intensidad de la pronunciación.

La parte más importante de toda curva de entonación es la final, desde el último acento hasta el final del enunciado, y puede ser de dos tipos principales:

- ***Descendente*** \
- ***Ascendente*** /

8.1. Escucha y repite los siguientes enunciados con entonación de final descendente. Compara tu entonación con la de la grabación e intenta imitarla

pájaro	toca	Francisco
águila	corre	canciones
cuéntame	salta	caramelos
míralo	pato	cuadros
búscala	playa	girasoles

8.2. Escucha y repite los siguientes enunciados con entonación de final ascendente. Compara tu entonación con la de la grabación e intenta imitarla

¿cantará?	¿ayer?	¿mintió?
¿ilusión?	¿Manuel?	¿pasó?
¿terminó?	¿con quién?	¿lo vi?
¿computadora?	¿jabón?	¿habló?
¿dimitir?	¿azul?	¿lloré?

También existe un final en suspensión (———), que trataremos más adelante.

Esquemas básicos de entonación

En español existen tres esquemas básicos de entonación, como expresión de ***modalidades*** diferentes de enunciación:

■ ***Entonación enunciativa*** o ***asertiva***: se utiliza para realizar enunciaciones o aserciones, generalmente al comentar, describir o explicar un aspecto de la realidad:

esa mesa es muy pequeña
el viento nos va a estropear la fiesta
cuanto más llueva, mejor para la agricultura

Normalmente este tipo de entonación muestra una subida de tono (nivel medio) en la primera sílaba tónica; el tono va descendiendo poco a poco hasta la última sílaba (nivel grave). En español, el núcleo final se realiza en el nivel grave; en inglés, el tono más alto se encuentra al final del grupo fónico.

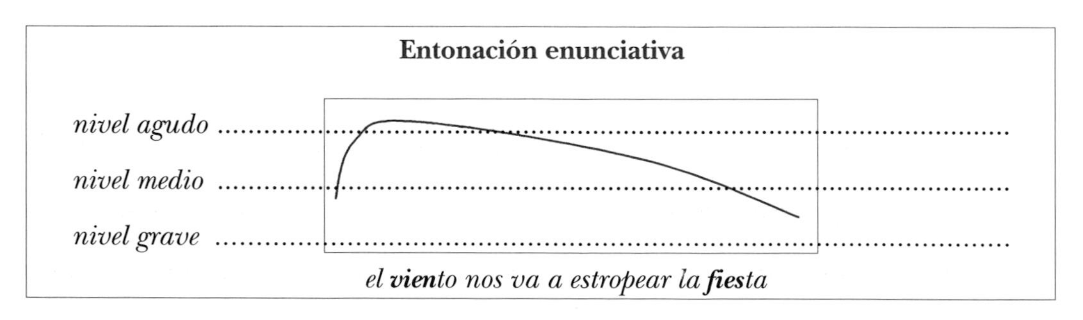

8.3. Escucha y repite cada enunciado. Compara tu entonación con la de la grabación e intenta imitarla. Se marcan con letra negrita la primera sílaba tónica y la última

Cer**van**tes nació en Alcalá de He**na**res
Esos **ni**ños dicen men**ti**ras
Es me**jor** que desapa**rez**cas
Mira**ré** por la ven**ta**na
No me **lla**mes por las **no**ches
Mi her**ma**no está enamo**ra**do
Me he com**pra**do un diccio**na**rio
No lo he **vis**to en todo el **dí**a
Canta y no **llo**res
Me **gus**ta ver películas hispanoameri**ca**nas

8.4. Lee los enunciados siguientes y después escucha la grabación. Primero oirás un número, tendrás un tiempo para leer el enunciado correspondiente y luego oirás el enunciado antes de pasar al siguiente

1. Lamentarse no sirve de nada
2. Dos y dos son cuatro
3. El Támesis pasa por Londres
4. El Fujiyama está en Japón
5. El Ebro es el río más largo de España
6. El español es una lengua internacional
7. Es bueno aprender varios idiomas
8. A quien madruga Dios le ayuda
9. El perro es el mejor amigo del hombre
10. Picasso nació en Málaga

■ ***Entonación interrogativa***: se utiliza para plantear preguntas de una forma directa. En la ortografía se representa mediante signos de interrogación (¿?)

¿quieres cenar esta noche conmigo?
¿qué te ha pasado? ¿quién eres? ¿dónde está?

Existen dos tipos principales de entonación interrogativa: la absoluta y la relativa.

En la ***interrogativa absoluta***, la curva comienza normalmente con una subida de tono (nivel medio – agudo) en la primera sílaba tónica, después se produce una bajada (nivel medio – grave) hasta el último acento y desde aquí se produce otra subida en un final ascendente (nivel medio – agudo). La subida inicial explica por qué es imprescindible usar el signo inicial de interrogación en español. («¿»).

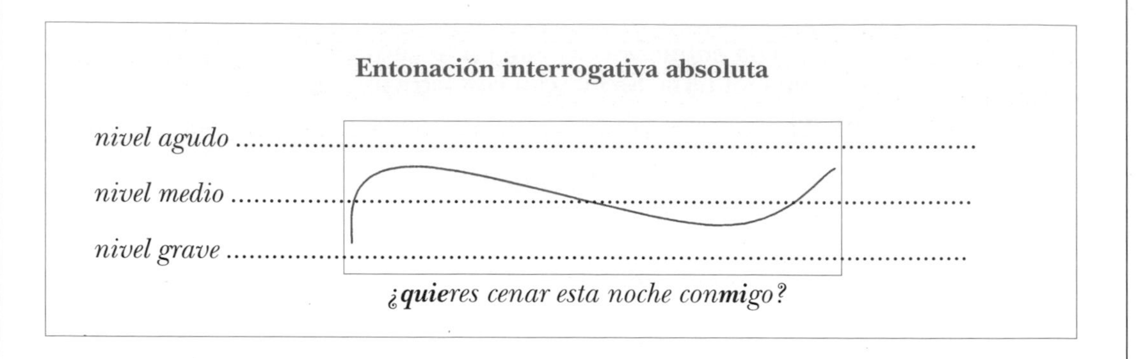

8.5. Escucha y repite cada enunciado. Compara tu entonación con la de la grabación e intenta imitarla. Se marcan con letra negrita la primera sílaba tónica y la última

¿Cer**van**tes nació en Alcalá de He**na**res?
¿Esos **ni**ños dicen men**ti**ras?
¿Es me**jor** que desapa**rez**cas?
¿Mira**ré** por la ven**ta**na?
¿No me **lla**mas por las **no**ches?
¿Mi her**ma**no está enamo**ra**do?
¿Me he com**pra**do un diccio**na**rio?
¿No lo he **vis**to en todo el **dí**a?
¿**Can**ta y no **llo**res?
¿Me **gus**ta ver películas hispanoameri**ca**nas?

8.6. Lee los enunciados siguientes y después escucha la grabación. Primero oirás un número, tendrás un tiempo para leer el enunciado correspondiente y luego oirás el enunciado antes de pasar al siguiente

1. ¿Lamentarse no sirve de nada?
2. ¿Dos y dos son cuatro?
3. ¿El Támesis pasa por Londres?
4. ¿El Fujiyama está en Japón?
5. ¿El Ebro es el río más largo de España?
6. ¿El español es una lengua internacional?
7. ¿Es bueno aprender varios idiomas?
8. ¿A quien madruga Dios le ayuda?
9. ¿El perro es el mejor amigo del hombre?
10. ¿Picasso nació en Málaga?

La ***interrogativa relativa*** se construye con algún elemento interrogativo (*quién, dónde, cuándo*); la curva comienza normalmente con una fuerte subida de tono (nivel medio – agudo) en la primera sílaba tónica, que coincide con el pico más alto, y desde aquí se produce un descenso, en un largo final descendente (nivel grave):

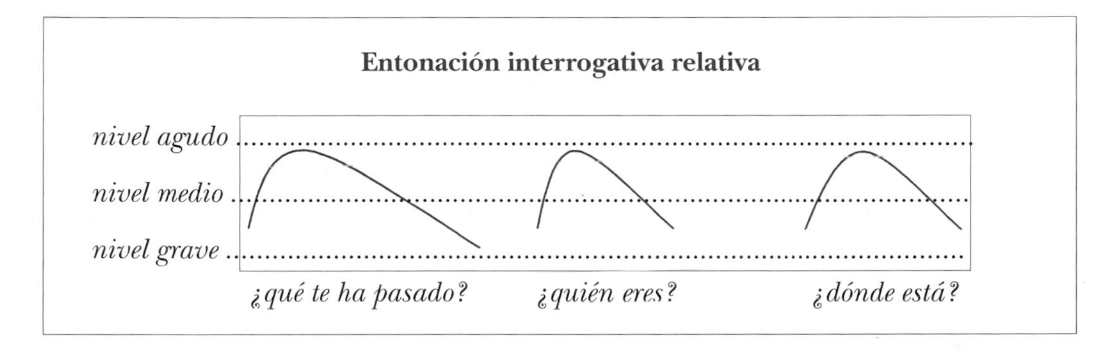

8.7. Escucha y repite cada enunciado. Compara tu entonación con la de la grabación e intenta imitarla. Se marca con letra negrita la primera sílaba tónica

¿**Quién** ha venido?
¿**Qué** hora es?
¿**Có**mo lo sabes?
¿**Dón**de está tu casa?
¿**Cuán**do llegas de viaje?
¿Por **dón**de se va a la plaza?
¿En **qué** calle vives?
¿Para **qué** quieres llamarlo?
¿Con **qué** piensas abrir la puerta?
¿De **qué** está hecha la mesa?

8.8. Lee los enunciados siguientes y después escucha la grabación. Primero oirás un número, tendrás un tiempo para leer el enunciado correspondiente y luego oirás el enunciado antes de pasar al siguiente

1. ¿Cómo te llamas?
2. ¿Cuándo podré verte?
3. ¿Quién es esa persona?
4. ¿Cuándo vas a decírmelo?
5. ¿Qué te importa?
6. ¿Con quién has hablado?
7. ¿Para cuándo será la fiesta?
8. ¿En qué vas a viajar?
9. ¿Sobre qué quieres hablarme?
10. ¿De qué va disfrazado?

■ ***Entonación exclamativa***: se utiliza para expresar emociones o deseos, para llamar la atención o despertar interés. En la ortografía se representa entre signos de admiración (¡!).

¡Qué hambre tengo!
¡Ven aquí enseguida!
¡Vamos a ver qué tenemos aquí!

Normalmente, se inicia con una subida de tono especialmente intensa (nivel agudo) hasta la primera sílaba tónica; a partir de aquí se produce un descenso (nivel grave) que puede ser más o menos rápido.

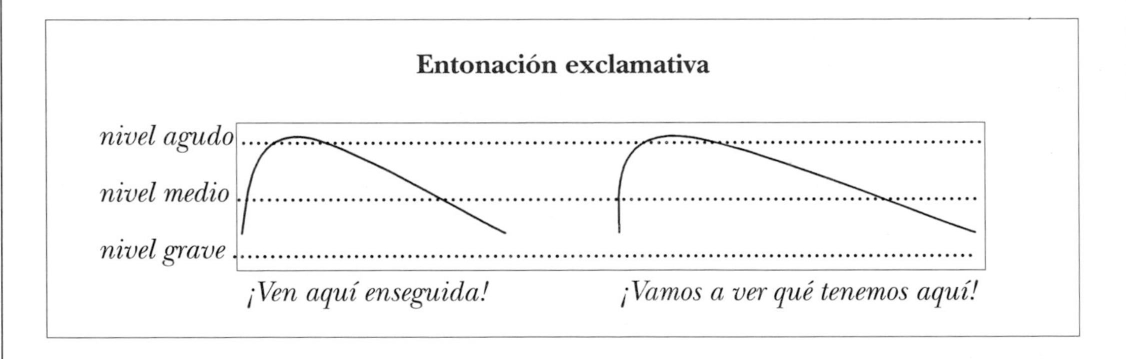

8.9. Escucha y repite cada enunciado. Compara tu entonación con la de la grabación e intenta imitarla. Se marca con letra negrita la primera sílaba tónica

¡**Qué** pena!
¡**Va**ya por Dios!
¡**O**tra vez será!
¡**Nun**ca sabes cómo acertar!
¡**Qué** emocionante!
¡Me**nu**da sorpresa!
¡No ha ser**vi**do para nada!
¡**E**so es mentira!
¡**Dé**jame en paz!
¡**Có**mo llueve!

8.10. Lee los enunciados siguientes y después escucha la grabación. Primero oirás un número, tendrás un tiempo para leer el enunciado correspondiente y luego oirás el enunciado antes de pasar al siguiente

1. ¡No me quites la razón!
2. ¡Qué tarde es ya!
3. ¡Qué suerte ha tenido!
4. ¡Aguanta un poco más!
5. ¡No sabes cómo te quiero!
6. ¡Siempre el mismo problema!
7. ¡Esto es un fracaso!
8. ¡Salte de la habitación!
9. ¡Eso hay que verlo!
10. ¡Qué lástima!

Es importante saber, sin embargo, que la entonación exclamativa puede ser muy variada según los matices que se quieran expresar: la decepción suele expresarse con un final grave descendente, el entusiasmo con un final agudo ascendente-descendente, etc. Todas estas posibilidades expresivas están también condicionadas por los usos propios de la región o el grupo social al que pertenece el hablante.

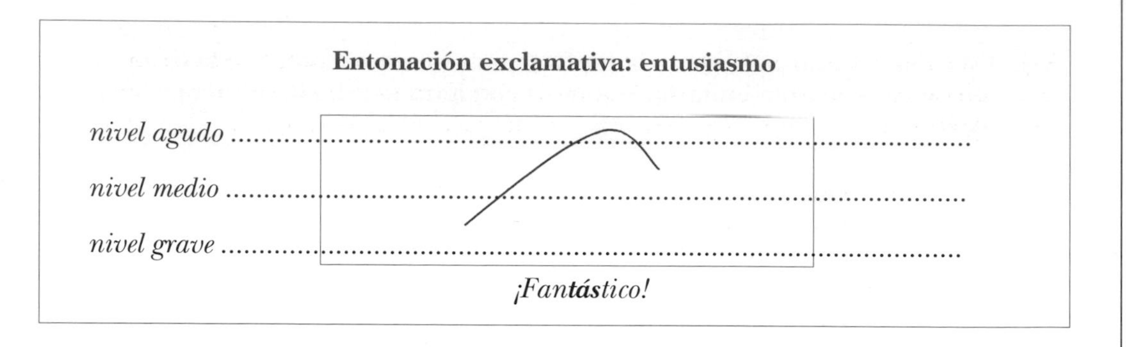

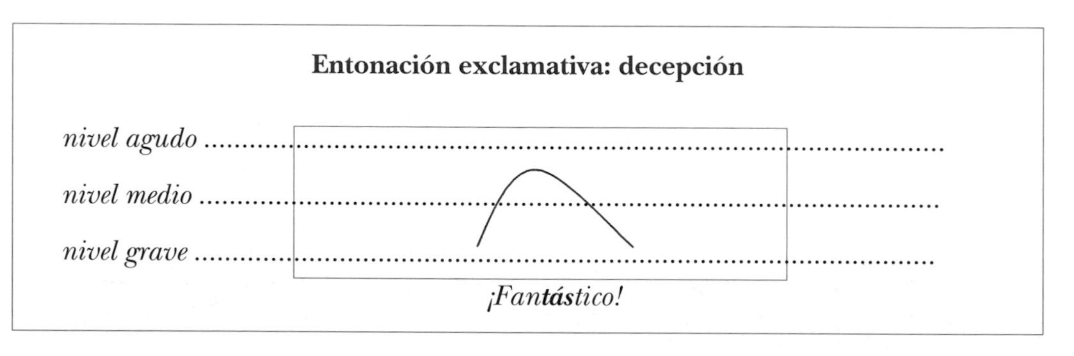

8.11. Escucha y repite cada enunciado. Compara tu entonación con la de la grabación e intenta imitarla

Entusiasmo

¡Fantástico!
¡Otro viaje!
¡Vamos al estadio!
¡Vendrá el cantante!
¡Por fin han llegado!
¡Me voy de viaje!
¡Comemos paella!
¡Se ha escapado!
¡Está curado!
¡Somos ricos!

Decepción

¡Fantástico!
¡Otro viaje!
¡Vamos al estadio!
¡Vendrá el cantante!
¡Por fin ha llegado!
¡Me voy de viaje!
¡Comemos paella!
¡Se ha escapado!
¡Está curado!
¡Somos ricos!

8.12. Lee los enunciados siguientes y después escucha la grabación. Primero oirás un número, tendrás un tiempo para leer el enunciado correspondiente y luego oirás el enunciado antes de pasar al siguiente

Entusiasmo

1. ¡Estoy libre!
2. ¡Estupendo!
3. ¡Increíble!
4. ¡Me ha dicho que sí!
5. ¡Es muy emocionante!
6. ¡Hemos aprobado!
7. ¡Te veré en el verano!
8. ¡Estaremos juntos siempre!
9. ¡Otro premio!
10. ¡Me han admitido!

Decepción

11. ¡Estoy libre!
12. ¡Estupendo!
13. ¡Increíble!
14. ¡Me ha dicho que sí!
15. ¡Es muy emocionante!
16. ¡Hemos aprobado!
17. ¡Te veré en el verano!
18. ¡Estaremos juntos siempre!
19. ¡Otro premio!
20. ¡Me han admitido!

A continuación podrás practicar la entonación de enunciados muy diversos. Procura utilizar las curvas melódicas adecuadas a cada enunciado. Intenta dar mayor intensidad a las sílabas tónicas.

8.13. Escucha y repite cada enunciado. Compara tu entonación con la de la grabación e intenta imitarla

Me gusta practicar la fonética
¿Cuánto tiempo hace que no vienes?
¡Será mala persona!
¿Cómo lo ha podido adivinar?
Me han citado para una entrevista de trabajo
¡Qué suerte tienes!
¿Tiene tanto dinero como parece?
En la selva hay animales peligrosos
¿Sabe que hay que esforzarse para triunfar?
¡No me digas eso!

8.14. Lee los enunciados siguientes y después escucha la grabación. Primero oirás un número, tendrás un tiempo para leer el enunciado correspondiente y luego oirás el enunciado antes de pasar al siguiente

1. Hemos dormido muy pocas horas
2. ¿Vendrás a vernos el domingo?
3. ¡Canta y sé feliz!
4. ¡Siempre la misma comida!
5. ¿Qué te ha preguntado ese hombre?
6. Las máquinas ayudan mucho
7. ¿Las máquinas ayudan mucho?
8. ¡Basta de conversación!
9. ¿Cuántos años tienes?
10. La estación de autobuses está muy lejos

8.15. Escucha los siguientes enunciados. Después tendrás tiempo para colocar los signos de puntuación correctos

Vamos a cantar
A qué hora tiene que llegar
Las fiestas son estupendas
Sabe cuántos años tienes
No te lo ha dicho todavía
Esos papeles no sirven para nada
Las cartas se echan en ese buzón
Han vendido las mejores frutas
Ha decidido no preocuparse
Las cartas no han llegado a tiempo

La entonación en el habla

Las curvas de entonación básicas se asocian a grupos fónicos y no siempre se presentan de forma aislada, sino que unas y otras, con todas sus variantes, alternan y se combinan en la lengua hablada.

En la entonación de enunciados y mensajes más largos y complejos de los que se han practicado hasta ahora, hay que tener en cuenta varios hechos importantes.

- En la pronunciación de los enunciados es importante dar la intensidad adecuada a las sílabas tónicas porque facilita la comprensión por parte del oyente.

- La entonación contribuye a construir los significados de las oraciones.
- La lengua escrita intenta reproducir las pausas más o menos largas del discurso mediante la puntuación: coma (,), dos puntos (:), punto y coma (;), punto y seguido o punto final (.). Al leer es importante prestar atención a la puntuación para darle al enunciado la entonación adecuada.
- En el habla, cada grupo fónico suele recibir una curva de entonación, con final ascendente (/), descendente (\) o en suspensión (—), y se combina con otros grupos fónicos formando cadenas melódicas que son muy importantes para la expresión y la comprensión de los enunciados.

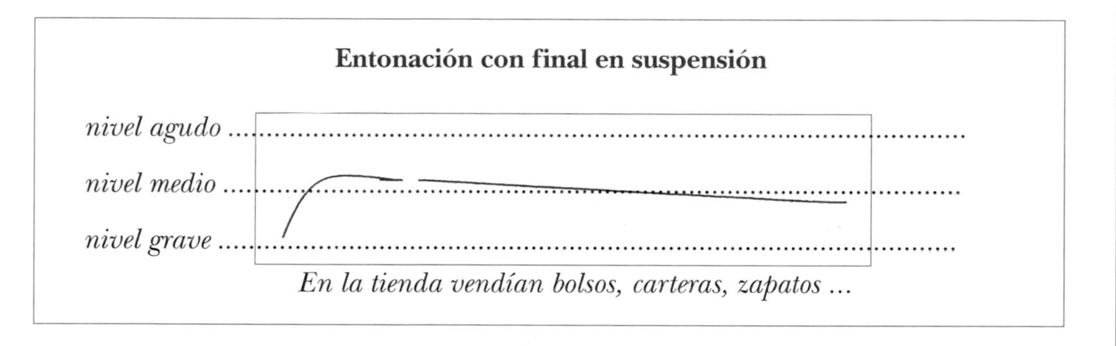

En la tienda vendían bolsos, carteras, zapatos ...

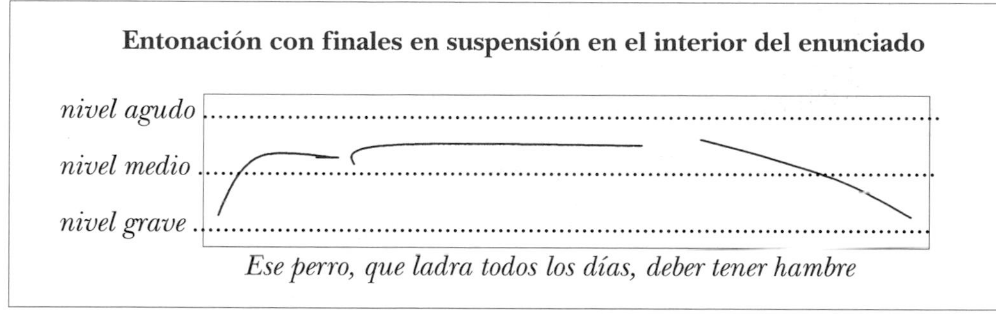

Ese perro, que ladra todos los días, deber tener hambre

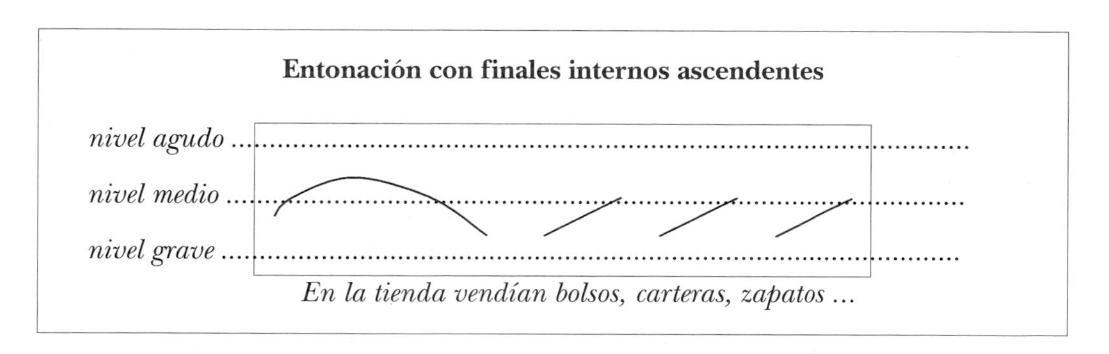

En la tienda vendían bolsos, carteras, zapatos ...

8.16. Escucha y repite. Practica cada uno de los siguientes enunciados por fragmentos, añadiendo cada uno de los fragmentos sucesivos hasta emitir el enunciado completo con la pronunciación adecuada. Se marcan con negrita las sílabas que deben ser pronunciadas con mayor intensidad

1. Los lunes y los miércoles tengo clases de lengua española
Los **lu**nes
Los **lu**nes y los **miér**coles
Los **lu**nes y los **miér**coles tengo
Los **lu**nes y los **miér**coles tengo **cla**ses
Los **lu**nes y los **miér**coles tengo **cla**ses de **len**gua
Los **lu**nes y los **miér**coles tengo **cla**ses de **len**gua espa**ño**la

2. ¿Quieres comer conmigo todos los fines de semana?
¿**Quie**res
¿**Quie**res co**mer**
¿**Quie**res co**mer** con**mi**go
¿**Quie**res co**mer** con**mi**go **to**dos
¿**Quie**res co**mer** con**mi**go **to**dos los **fi**nes
¿**Quie**res co**mer** con**mi**go **to**dos los **fi**nes de se**ma**na?

3. ¡Nunca me podría imaginar una sorpresa tan agradable!
¡**Nun**ca
¡**Nun**ca me po**drí**a
¡**Nun**ca me po**drí**a imagi**nar**
¡**Nun**ca me po**drí**a imagi**nar** una sor**pre**sa
¡**Nun**ca me po**drí**a imagi**nar** una sor**pre**sa **tan**
¡**Nun**ca me po**drí**a imagi**nar** una sor**pre**sa **tan** agra**da**ble!

8.17. Escucha y repite. Oirás una vez cada enunciado, tendrás un tiempo para repetirlo y después volverás a oírlo antes de pasar al siguiente. Compara tu entonación con la de la grabación e intenta imitarla

Los lunes, los miércoles y los viernes vamos a hacer gimnasia
Los niños, que estaban muy enfadados, no quisieron seguir jugando
Los niños que estaban muy enfadados no quisieron seguir jugando
No quiero verte más por mi casa: hemos terminado
De vez en cuando, lo hacemos muy bien, amigo
Me gustan, las motos grandes, negras, veloces
El maestro preguntó: ¿Quién ha tirado ese papel?
El maestro preguntó quién había tirado ese papel
Las películas, que no habían tenido éxito, fueron retiradas
¡Vaya por Dios! ¡Qué disgusto me acabas de dar, hijo!

8.18. Escucha y repite cada enunciado. Oirás una vez cada enunciado, tendrás un tiempo para repetirlo y después volverás a oírlo antes de pasar al siguiente. A la vez que oyes los enunciados y a la vez que los pronuncias, golpea con la mano sobre la mesa para marcar las sílabas tónicas. En el texto del enunciado se marcan con letra negrita las sílabas tónicas

¿**Quie**res **té**, ca**fé**, o te ape**te**ce otra **co**sa?
Pienso exami**nar**me de geogra**fí**a, de his**to**ria y de mate**má**ticas
Los ne**go**cios que no em**pie**zan **bien** no **sue**len aca**bar bien**
Me han **di**cho que, a **cau**sa del **frí**o, no sal**drá** a la **ca**lle
¿**Tan**to **pien**sas co**rrer** que **no pa**ras de entre**nar**te?
¿Han ve**ni**do **to**dos o **fal**ta al**gu**no?
Por **cul**pa de la **llu**via, no po**drán** ju**gar** al balon**ces**to ni al **te**nis
Por el **mar na**dan las sar**di**nas y por el **mon**te **co**rren las **lie**bres
Mi a**mi**go y el **tu**yo se han com**pra**do un aparta**men**to en la mon**ta**ña
Con la mi**ra**da **tris**te, le **di**jo a**diós** a **to**da su fa**mi**lia

8.19. Lee los enunciados siguientes y después escucha la grabación. Primero oirás un número, tendrás un tiempo para leer el enunciado correspondiente y luego oirás el enunciado antes de pasar al siguiente

1. Canta otra vez esa canción, me gusta mucho
2. ¿Prefieres la camisa negra, la blanca o la roja?
3. Los amigos, que nunca se olvidan de él, le hicieron un buen regalo
4. El jardín está lleno de rosas, claveles, margaritas, geranios, ...
5. ¿Vas a ayudarme o piensas estar mirándome toda la tarde?
6. No nos dijo ni cuándo se iría ni cuándo volvería a casa
7. Por el momento, todo mi esfuerzo y el tuyo han sido en vano
8. Si no te gusta este producto, la empresa puede devolverte el dinero
9. Protestó tanto, tanto que al final le dieron la razón
10. Su madre la quiere mucho, mucho, mucho

8.20. Escucha y repite. Oirás la grabación una primera vez. Inmediatamente después la oirás una segunda vez. Intenta dibujar en un papel la curva de entonación de cada enunciado mientras lo oyes por segunda vez

¿No es posible verla de nuevo?
La informática va a hacernos la vida más fácil
¿Cuánto dinero pides por tu motocicleta?
¡Este calor es insoportable!
Si no se calla todo el mundo, no podré estudiar
Los pintores, los escultores y los músicos le rindieron homenaje
Las universidades tienen que mejorar, las privadas y las públicas
Los vecinos, que no nos hacían caso, no paraban de hacer ruido
¿En qué estación del año estamos?
¿Crees que estoy entonando bien o que lo hago mal?

9/ El discurso continuo

Las prácticas de fonética española que se han realizado hasta el momento solo habrán cumplido su objetivo si se consigue una pronunciación adecuada en el discurso continuo. Por eso es importante practicar los rasgos fonéticos del español a partir de textos de cierta longitud. Con las prácticas que ahora proponemos se busca consolidar lo aprendido y ganar naturalidad en la expresión hablada.

Lengua oral y textos no literarios

Para practicar la fonética en discurso continuo, se reproducen tres textos procedentes de documentos o discursos reales. Todos ellos son textos que pueden aparecer en la práctica cotidiana de la lengua, como discursos emitidos o leídos en voz alta.

9.1. Práctica individual. Indicaciones generales

Preparación de la lectura

1. Marcar mediante una línea vertical roja los límites de todas las frases separadas por punto.

2. Dentro de cada frase, separar los grupos fónicos mediante una línea vertical azul y utilizando como referencia la puntuación (coma, punto y coma, etc.). En los textos se usa el signo «|» para marcar algunas posibles fronteras entre los grupos fónicos más difíciles de localizar.

3. Dentro de cada grupo fónico, subrayar con lápiz verde las sílabas tónicas.

Práctica de la lectura

1. Pronunciar varias veces cada grupo fónico acompañando las sílabas tónicas con un golpe dado en la mesa con la mano.

2. Pronunciar varias veces cada secuencia de dos grupos fónicos, cuando existan en una frase, acompañando las sílabas tónicas con un golpe dado en la mesa con la mano.

3. Pronunciar varias veces cada frase –hasta el punto– haciendo breves pausas entre grupos fónicos –cuando haya varios– y acompañando las sílabas tónicas con un golpe dado en la mesa con la mano.

Para conseguir la entonación adecuada debe prestarse mucha atención a la puntuación.

Instrucciones técnicas

Instrucciones para el manejo de una máquina cortapelo

Antes de usar el aparato, lean cuidadosamente estas instrucciones.

Antes de conectar el aparato, comprueben si el voltaje indicado en la clavija | se corresponde con el de su hogar.

Una limpieza regular | garantiza un funcionamiento óptimo | y una más larga vida útil.

El aparato está provisto de una unidad de corte sin mantenimiento | que no necesita ser lubricada.

Especialmente durante las primeras veces que usen el cortapelo: no se apresuren; manejen el cortapelo con cuidado.

No permitan que el cortapelo se moje.

Mantengan el cortapelo | fuera del alcance de los niños.

No usen el cortapelo | cuando tengan alguna infección en la piel.

No limpien nunca el cortapelo | con agentes limpiadores abrasivos | o líquidos agresivos | tales como alcohol, acetona, gasolina, etc.

No usen el cortapelo en animales.

(Instrucciones de *Philishave Hair Trimmer,* 1999.)

9.2. Práctica de lectura en voz alta de las instrucciones técnicas

Prepara la lectura conforme a las indicaciones generales. Practica la lectura conforme se ha explicado. Después escucha la grabación y repite la práctica.

Noticia periodística

Hasta hace un par de años, muy pocos libreros y editores | creían en las ventajas que Internet podría aportar a la venta de libros. Ahora, lejos de ser una amenaza, Internet se ha convertido en una bendición. Todos dan por sentado | que los libros seguirán vendiéndose | más allá de la siguiente década | a través de la infraestructura habitual de librerías. Pero el porcentaje de libros vendidos en tiendas virtuales será, dentro de 10 años, al menos de un 20%. El usuario de las empresas españolas que practica el comercio digital | adquiere especialmente libros descatalogados. Los índices de venta *on line* son «simbólicos», pero la tendencia es al alza.

(Texto de Amelia Castilla extraído de *El País digital*, 21-8-99.)

9. 3. Práctica de lectura en voz alta de la noticia periodística

Prepara la lectura conforme a las indicaciones generales. Practica la lectura conforme se ha explicado. Después escucha la grabación y repite la práctica.

Conversación real

Hablante A. –Buenos días, hijo. ¿Qué tal estás?
Hablante B. –Buenos días, mamá. Y tú ¿qué tal estás?
A. –Yo estoy cansadísima. Estoy dormida, dormida.
B. –Pero, ¿por qué os habéis levan ... acostado a las cuatro de la mañana?
A. –¡Oye! Vamos a darnos prisa | que tenemos que empezar a preparar lo del cumpleaños.
B. –¿Va a venir mucha gente?
A. –Sí, todos los tíos, todos.
B. –¡Ah!
A. –¡Oye! Teníamos que llamar a Carmen, a ver si ... encargamos la tarta.
B. –¿Y de qué la vamos a encargar?
A. –De arándanos, de kiwis ...
B. –Pero tiene que ser una grande | porque si va a venir mucha gente ...
A. –Sí, una de veinte raciones, por lo menos.
B. –¡Ah! (ruidos) Mamá, ¿qué vamos a preparar?
A. –Pues casi todo ... como una merienda –cena, por lo menos ya los tíos y los críos van ... ya cenados.
B. –¿Tú crees que van a venir los tíos por parte de papá?
A. –Supongo que no | porque se iban de boda | y luego tenían que venir los primos del pueblo y (ruidos). ¡Oye! Y Pepita, ¿dónde está?
B. –Está aquí detrás.
A. –Es que como no hace ruido ...
B. –Le está gustando.
A. –Ahora mírala, ni se la oye ¡Es de buena!
B. –¡Ya! No hace ni ... nada claramente, o sea que los de abajo ...
A: –Bueno, te dejo ya ¿eh, cariño?
B. –Vale. Yo me voy a ir a comprar. Te veo después.
A. –Vale
B. –Adiós.

(Conversación tomada de F. Moreno Fernández, *Principios de sociolingüística y sociología del lenguaje*, Barcelona, Ariel, 1998.)

9.4. Práctica de fonética en la conversación

Prepara la lectura conforme a las indicaciones generales. Practica el diálogo conforme se ha explicado. También se puede practicar repartiendo entre dos personas los papeles de A (madre) y B (hijo). Después escucha la grabación y repite la práctica.

Lecturas literarias

Para practicar la lectura, se reproducen tres textos procedentes del ámbito literario, aunque escritos, en principio, para ser narrados, declamados o representados en voz alta.

9.5. Práctica individual de lectura. Indicaciones generales para todas las lecturas. La técnica es la misma que en 9.1.

Preparación de la lectura

1. Marcar mediante una línea vertical roja los límites de todas las frases separadas por punto.
2. Dentro de cada frase, separar los grupos fónicos mediante una línea vertical azul y utilizando como referencia la puntuación (coma, punto y coma, etc.). En los textos se usa el signo «|» para marcar algunas posibles fronteras entre los grupos fónicos más difíciles de localizar.
3. Dentro de cada grupo fónico, subrayar con lápiz verde las sílabas tónicas.

Práctica de la lectura

1. Pronunciar varias veces cada grupo fónico acompañando las sílabas tónicas con un golpe dado en la mesa con la mano.
2. Pronunciar varias veces cada secuencia de dos grupos fónicos, cuando existan en una frase, acompañando las sílabas tónicas con un golpe dado en la mesa con la mano.
3. Pronunciar varias veces cada frase –hasta el punto– haciendo breves pausas entre grupos fónicos –cuando haya varios– y acompañando las sílabas tónicas con un golpe dado en la mesa con la mano.

Para conseguir la entonación adecuada debe prestarse mucha atención a la puntuación.

9.6. Práctica de lectura en grupo. Orientaciones generales

Lectura de los textos narrativo y teatral entre varias personas, según las características del texto.

Cuento infantil

La guerra de los animales

Había una vez una animal grande –no se sabe si un camello o un caballo– que, mientras estaba comiendo hierba en un prado, pisó sin darse cuenta a un pequeño escarabajo. El pobre animal se quejó diciendo:

–¡Ay! ¡Ay! Levanta tu pezuña, que me estás aplastando.

Pero el animal no le hizo ningún caso | y siguió comiendo hierba.

–¿Con que esas tenemos, eh? –murmuró el escarabajo, mientras intentaba escabullirse–. ¡Ya verás!

Cuando por fin el escarabajo pudo liberarse, reunió en consejo a todos los animales más pequeños que el zorro. Tras mucho hablar, decidieron declarar la guerra | a todos los animales | que fuesen más grandes que el zorro.

Promulgaron el decreto | y ambas partes se dispusieron para el ataque. Los animales más grandes | se colocaron en un monte | y los más pequeños en otro, manteniendo sus fuerzas frente a frente.

Los animales corpulentos | acordaron mandar al zorro | como espía al campo enemigo, para que averiguase con qué fuerzas contaban los animales más pequeños.

El zorro partió a cumplir su misión, pero, por desgracia, fue descubierto en seguida por los animales más pequeños. Las abejas y los mosquitos fueron los primeros en atacar, acribillándole el cuerpo con sus picotazos. El zorro emprendió la retirada | tan veloz como sus patas se lo permitían. El zorro, que había salido a cumplir su misión | con el rabo orgullosamente levantado, regresó con él entre las patas, totalmente derrotado.

Entonces los animales más grandes le preguntaron:

–Dinos, zorro, ¿cómo te ha ido?

–Mirad, amigos –les respondió–, son pequeños, pero más listos que el hambre.

Así fue como acabó la guerra | entre los animales más grandes y los más pequeños.

Este cuento de origen vasco aparece recogido en *Mil años de cuentos*, 10ª ed., Zaragoza, Edelvives, 1998, págs. 202-203. Se ha modificado levemente la puntuación de acuerdo con nuestro propósito.

9.7. Práctica de lectura del cuento

Prepara la lectura conforme a las indicaciones generales. Practica la lectura conforme se ha explicado. También se puede practicar repartiendo entre cuatro personas los papeles de narrador, escarabajo, animal grande y zorro. Después escucha la grabación y repite la práctica.

Romance

ROMANCE DE LA LUNA, LUNA

La luna vino a la fragua
con su polisón de nardos.
El niño la mira, mira.
El niño la está mirando.
En el aire conmovido
mueve la luna sus brazos
y enseña, lúbrica y pura,
sus senos de duro estaño.
–Huye, luna, luna, luna.
Si vinieran los gitanos,
harían con tu corazón
collares y anillos blancos.
–Niño, déjame que baile.
Cuando vengan los gitanos
te encontrarán en el yunque
con los ojillos cerrados
–Huye, luna, luna, luna,
que ya siento sus caballos.
–Niño, déjame, no pises
mi blancor almidonado.
El jinete se acercaba
tocando el tambor del llanto.
Dentro de la fragua el niño
tiene los ojos cerrados
Por el olivar venían,
bronce y sueño, los gitanos.
Las cabezas levantadas
y los ojos entornados.
Cómo canta la zumaya,
¡ay, cómo canta en el árbol!
Por el cielo va la luna
con un niño de la mano.
Dentro de la fragua lloran,
dando gritos los gitanos.
El aire la vela, vela.
El aire la está velando.

Federico García Lorca

9.8. Práctica de lectura del romance

Prepara la lectura conforme a las indicaciones generales. Recita cada verso como un grupo fónico independiente. Observa que los versos tienen ocho sílabas, coincidiendo con la extensión media de los grupos fónicos en español. Después escucha la grabación y repite la práctica.

Séneca o el beneficio de la duda

PETRONIO.– Perdona este allanamiento. Sé que no estás aquí: me lo ha dicho tu mayordomo. *(Mira al exterior.)* De todo el año | quizá es el mes de abril el que prefiero. Por su moderación. Mayo es excesivo; junio, vulgar.

SÉNECA.– Cualquiera es bueno para morir. ¿O no?

PETRONIO.- Durante el viaje hasta tu casa | he comprobado que la Naturaleza nunca se equivoca.

SÉNECA.– En eso reside toda mi filosofía.

PETRONIO.– Quiero decir al combinar colores.

SÉNECA.– En boca del árbitro de la elegancia, eso es un gran elogio.

PETRONIO.– La Naturaleza no aspira a la elegancia. Y yo, tampoco. Son los demás los que aspiran a imitarme. *(Pausa.)* Deberíamos vivir todos como tú ahora: en las afueras. En las afueras de Roma, del esplendor, del poder.

SÉNECA.– ¿En las afueras de la vida?

PETRONIO.– No creo haberme salido mucho de ellas. Yo soy un simple espectador. No me interesa el espectáculo | tanto como para participar. Un día yo también moriré. O se me invitará a morir. Ojalá esté rodeado de abril por todas partes | igual que hoy tú.

SÉNECA.– Sé que lo que voy a decirte es un poco infantil, pero me habría gustado morir de muerte natural ... Siempre intenté reflejar en mí | el orden de la Naturaleza. Un largo esfuerzo inútil: ahora es abril para ella, pero no para mí ... (Pausa.) Desde mi infancia en Córdoba | cuántas cosas perdidas. Acaso no debería haber salido nunca de ella.

PETRONIO.– ¿De tu infancia, o de Córdoba?

SÉNECA.– De ninguna de las dos.

Antonio Gala

Fragmento tomado de la 2ª edición publicada por Espasa Calpe (Madrid, 1988).

9.9. Práctica de lectura del fragmento teatral

Prepara la lectura conforme a las indicaciones generales. Practica con otra persona: una representará el papel de Petronio y la otra, el de Séneca. Después escucha la grabación y repite la práctica.

9.10. Escucha y repite estos trabalenguas

El Arzobispo de Constantinopla

El Arzobispo de Constantinopla
se quiere desarzobispoconstantinopolizar.
El desarzobispoconstantinopolizador
que lo desarzobispoconstantinopolice
buen desarzobispoconstantinopolizador será.

El querer

Quiero y no quiero querer,
y a quien no queriendo quiero
he querido sin querer
y estoy sin querer queriendo.
Si porque te quiero mucho
quieres que te quiera más
te quiero más que me quieres,
¿qué más quieres?
¿quieres más?
Te quiero

10/ Dificultades del hablante de inglés

Los hablantes de lengua inglesa encontrarán dificultades muy distintas en la fonética del español. Las más importantes han sido tratadas en los capítulos anteriores. Vamos a partir de la comparación de los fonemas consonánticos y vocálicos del español.

FONEMAS CONSONÁNTICOS ESPAÑOLES

p	t	t͡ʃ	k
b	d	y	g
f	θ	s	χ
	l	ʎ	
m	n	ɲ	
	ɾ		
	r		

FONEMAS CONSONÁNTICOS INGLESES

p	t	t͡ʃ	k
b	d	ʤ	g
	θ ð		h
f	s	ʃ	
v	z	ʒ	
	l		
m	n		ŋ
	ɾ		
		j	w

FONEMAS VOCÁLICOS ESPAÑOLES

i				u
	e		o	
		a		

FONEMAS VOCÁLICOS INGLESES

i:					u:
	ɪ				ʊ
			ə		
		e	ɜ:		ɔ:
		æ	ʌ		ɒ
				ɑ:	

Los aspectos fonéticos que suelen resultar más difíciles para los hablantes de inglés se comentan a continuación.

10.1. Vocalismo

A pesar de que el sistema de fonemas vocálicos del español es mucho más simple que el del inglés, ya que solamente consta de las cinco vocales distintivas presentadas entre las páginas 21 y 25, el sistema acentual y rítmico del inglés hace que se produzcan algunas dificultades en su pronunciación. La mayor, de ellas, para el hablante de inglés, consiste en mantener el mismo timbre para la misma vocal, independientemente de que se encuentre en sílaba tónica o no.

Sílabas acentuadas

/**e**/ y /**o**/ – En esta posición, el hablante de inglés tiende a producir la vocal /e/ como un diptongo [ei], por lo que la palabra *sé* se pronunciaría [séi], como en la palabra inglesa *say*. Lo mismo ocurre con la vocal /o/, que tiende a ser pronunciado como[ou]. Transfiriendo estas pronunciaciones inglesas a una frase como «Yo no sé», por ejemplo, ésta sonaría [jóu nóu séi].

Para producir correctamente estas vocales de abertura media es necesario no alterar la abertura de la boca durante su producción, independientemente de que se pronuncien más cortas o más largas, como en casos de énfasis especial o cuando están acentuadas. Para aprender a producir la vocal /e/ del español se puede partir del diptongo inglés [ei], prolongando la primera parte y tratando de no pronunciar la [i] con que culmina. Igualmente, para producir la vocal /o/, se puede comenzar con una palabra inglesa como *no*, sin que el grado de abertura de la boca se cierre al final, para de esta manera lograr una vocal sin cambio de sonido o timbre.

/**i**/ y /**u**/ – Ocasionalmente, algunos hablantes de inglés producen un ligero diptongo hacia la posición más cerrada, al pronunciar las vocales de abertura mínima del español, la /i/ y la /u/. Es necesario recordar que el punto de partida de la vocal /i/ es con la lengua en posición lo más cercana posible al paladar, por lo que no debe haber movimiento o cambio de timbre. La vocal [i] del inglés más cercana a la del español es la de la palabra *meet*, y la más cercana a la [u] es la de la palabra *book* y palabras similares que terminan con consonantes sordas. Estas vocales son las que deben tomarse como modelo, en un primer momento, para lograr una calidad vocálica apropiada.

/**a**/ – Con respecto a la vocal más abierta /a/, la que se acerca más a la vocal española es la segunda *a* en *apartment*, o la primera vocal de la palabra *father*. En español, contrariamente al inglés, solamente hay una vocal abierta o baja, por lo que el timbre vocálico es intermedio entre el de las vocales ya mencionadas y el de la vocal (también escrita con la letra *a* en la ortografía inglesa) de palabras como *cat* y *black*. Esta última vocal, simbolizada [æ], es demasiado adelantada y cerrada, por lo que no es aceptable en español. El estudiante de español debe abrir bien la boca al pronunciar la /a/ española.

Todas las vocales del español pueden ocupar posiciones en sílabas abiertas, que son las que terminan en vocal, o sílabas cerradas, que son las que terminan en consonante. En inglés únicamente las vocales largas (o «tensas») pueden estar en sílabas abiertas. Así, las cinco vocales pueden aparecer en sílabas abiertas, acentuadas o inacentuadas. Ejemplos a final de palabra: *acá, café, así, oró, Perú.*

Sílabas inacentuadas

La lengua inglesa tiene un ritmo que se caracteriza por la alternacia de sílabas prominentes y sílabas reducidas, lo cual hace que la duración relativa de las sílabas tónicas y las átonas sea muy dispar. Esto tiene como efecto que el núcleo vocálico de las sílabas inacentuadas sea bastante breve, cambiando frecuentemente el timbre a una vocal neutra, la *schwa* (transcrita [ə]). Esta vocal inglesa es de abertura media, sin mucha tensión articulatoria, y la lengua no está en posición adelantada ni retrasada. Es la vocal de la primera y la tercera *a* de la palabra b*a*nan*a*, por ejemplo.

La dificultad mayor de los hablantes de inglés con respecto al vocalismo es mantener el mismo timbre de las vocales del español en sílabas átonas, en particular al final de la palabra. Es importante mantener siempre la misma calidad vocálica en estas posiciones inacentuadas, puesto que muchas distinciones gramaticales en español dependen de la última vocal.

Por ejemplo, el género masculino y femenino se distinguen frecuentemente por las vocales /o/ y /a/ respectivamente, por lo que una *schwa* o vocal neutra oscurecería esta distinción, como sucedería entre *niño/niña* o *amigo/amiga*. Lo mismo ocurre en las terminaciones verbales, en las que la última vocal puede señalar la persona gramatical o el modo, como en *quiera, quiere* y *quiero*. Es particularmente difícil para los hablantes de inglés mantener la distinción entre las vocales cuando sigue una *n* a final de palabra, como en *comieron* y *comieran*, lo cual, por supuesto, puede perjudicar la comunicación.

Para practicar estas vocales en posición átona, pronuncia despacio palabras como *pata, manta, mete, vele, loco, bolo*, manteniendo siempre la misma calidad vocálica en ambas sílabas, acentuada o no acentuada. Practica varias veces los ejercicios 4.1.2. a 4.1.5. para la /a/, los ejercicios 4.2.2. a 4.2.5. para la /e/, y los ejercicios 4.4.1. a 4.4.5. para la /o/, prestando particular atención a las vocales finales no acentuadas.

Casos especiales: las vocales /e/ y /o/ acentuadas pronunciadas demasiado abiertas

En muchos casos, cuando el aprendiz de español ha logrado no diptongar las vocales /e/ y /o/, puede ocurrir que las pronuncie demasiado abiertas, en particular en sílabas acentuadas o cuando sigue una consonante como *r* o *l*. En estos casos tales vocales se asemejan a la *e* de la palabra *bed* y la *o* a la de la palabra *caught*. Si bien esto no entorpece la comunicación, le da al que las emplea un acento decididamente extranjero, principalmente al pronunciar palabras como *queso, beber, del, tendré, verde*, con la /e/ abierta (simbolizada [3:]). De hecho, el sonido de la /e/ española es más cercano al de la vocal de la palabra *sit* [I], por ejemplo, que al de las palabras *bed* o *Ken*. En el caso de la /o/, se obtiene el timbre vocálico correcto si se recuerda abocinar o redondear bien los labios.

Para practicar estas vocales medias, presta especial atención a la pronunciación de las mismas en los ejercicios de las secciones 4.2. y 4.4. Nota cómo no cambian de timbre, como sucede en inglés, ni se producen demasiado abiertas.

Los diptongos del español

Los hablantes de inglés tienden a pronunciar los diptongos bisilábicamente, es decir, con dos vocales fuertes. Evidencia de esto es el hecho de que ciertas palabras del español con diptongos que han pasado al inglés como préstamos lingüísticos, tales como como *sierra, pueblo, guano,* se pronuncian con tres sílabas en vez de dos, de la siguiente forma: *si-e-rra, pu-e-blo, gu-a-no.*

Es corriente oír pronunciaciones de este tipo en estudiantes anglófonos, en palabras como *piano, quiero, puedo, miedo, ciudad.* Escucha y practica los ejercicios 3.5, para evitar pronunciar los diptongos como secuencias de dos vocales fuertes, y escucha atentamente la pronunciación de las palabras con diptongos de todos los ejercicios y prácticas, en particular los de la sección 9, sobre el discurso continuo.

10.2. Consonantismo

Tanto el español como el inglés tienen consonantes orales, nasales y líquidas. Desde el punto de vista del número de fonemas, el sistema consonántico del español tiene menos elementos, pero cada lengua tiene contrastes que no existen en la otra. Por ejemplo, el español distingue entre la llamada *r* vibrante simple [ɾ] de *caro* y la *r* vibrante múltiple [r] de *carro,* lo cual no ocurre en inglés, mientras que el inglés, por su lado, distingue entre la [ʃ] de *shoe* y la [t͡ʃ] de *chew,* y entre la [b] de *berry* y la [v] de *very,* contrastes que no ocurren en español.

Las mayores dificultades de los hablantes de inglés que aprenden español como segunda lengua, en lo relativo al consonantismo, tienen que ver con el no reconocimiento de los contrastes que se establecen entre fonemas que no existen en su lengua.

Las consonantes líquidas /ɾ/ y /r/

Los hablantes de inglés no tienen por lo general problemas con las distinciones fonemáticas entre categorías consonánticas como oclusivas y fricativas, orales y nasales o sordas y sonoras. Las dificultades en la percepción de los contrastes se centran principalmente en la categoría de las líquidas, en la que el español tiene contrastes que no existen en inglés.

Una distinción particularmente importante es la ya mencionada entre la *r* vibrante simple [ɾ] de *caro* y la *r* vibrante múltiple [r] de *carro.* Existe una gran cantidad de pares de palabras que se distinguen por estas dos consonantes, como podemos ver en el cuadro 5.3.4.4., por lo que nunca deben ser pronunciadas iguales.

En los casos en que el hablante de inglés tenga dificultad para pronunciar la [r] de *arroz* como una consonante vibrante lingual (en la cual se produce una interrupción del aire entre dos y cinco veces), se recomienda tratar de pronunciar este fonema con la misma posición de la lengua descrita para la [ɾ], con bastante fuerza expiratoria. En muchos casos el sonido parecerá un rozamiento producido tras los alveolos, pero esta es una pronunciación bastante usada en muchas regiones de América y es aceptable cuando no se tiene la suficiente flexibilidad en la punta de la lengua para hacerla completamente vibrante, en particular después de una *i*, como en *mirra* o *irritar*. Incluso el sonido particular de la *r* inglesa en palabras como *red, sorry, Mary*, es preferible como variante de la /r/, antes que confundirla con la /ɾ/ de *oro* y *pero*.

La pronunciación de la *r* simple [ɾ] se produce con un contacto rápido e instantáneo de la punta de la lengua contra los alveolos, con vibración de las cuerdas vocales. Este sonido es virtualmente idéntico al sonido que existe en el inglés norteamericano, como variante de la *-t-* o *-d-* intervocálicas, en palabras y frases como *water, better, rider, not at all* (el llamado *tap* o *flap*). Es un sonido fácil de pronunciar para todos los hablantes del inglés independientemente del dialecto, por lo que se recomienda que se tome este sonido particular como punto de partida para la práctica de la consonante [ɾ] del español.

Las variantes contextuales de los fonemas

Una diferencia importante y crucial entre el inglés y el español es la pronunciación continua y fricativa de los fonemas /b/, /d/, y /g/, que se produce cuando estas consonantes se encuentran entre vocales. Este tipo de variación contextual del español es obligatorio en este contexto y suele ser difícil para los hablantes de inglés.

Esas variantes no oclusivas se transcriben [β], [ð] y [γ] respectivamente, como podemos ver en la palabra *abogado*, pronunciada [aßoγáðo]. Para la variante [ß] los labios no se cierran, para la variante [ð] la lengua no llega a tocar los dientes y para la variante [γ], la parte posterior de la lengua no llega a tocar el velo del paladar. Identifica estos sonidos en los ejercicios de las consonantes y presta atención a los contextos donde ocurren.

La pronunciación de las consonantes

La pronunciación de varias consonantes del español es idéntica a sus equivalentes del inglés, por lo que no presenta dificultades. Este es el caso de la [t͡ʃ], la [f] y la [m]. Otras consonantes del inglés se aproximan lo suficiente a la pronunciación del español, por lo que podrían usarse sin problema, como la [s] y la [h]. Este último sonido [h] de *house* se puede utilizar como variante del fonema /χ/, ya que esta pronunciación existe en varias regiones de España y América. Igualmente, para ilustrar un sonido inglés muy cercano a la eñe del español, se puede mencionar la secuencia *ni* en *onion* o *union*, de sonido casi idéntico.

Existen, sin embargo, otras categorías de consonantes que son sistemáticamente distintas en español e inglés, por lo que hay que aprender y practicar su articulación. Este es el caso de los fonemas /p/, /t/ y /k/, que si bien existen en ambos idiomas, en inglés se pronuncian aspirados, lo cual significa que hay un pequeño golpe de aire o soplido después de la articulación. Esto no ocurre en español, donde la sonoridad de las vocales empieza inmediatamente después de la consonante.

Además, los fonemas /t/ y /d/ del español se diferencian de los del inglés en que tienen una articulación definitivamente dental, no alveolar como en inglés. Es decir, la punta de la lengua siempre se apoya en los dientes de arriba, por lo que la variante fricativa de la /d/ es igualmente dental [ð], como la segunda *d* de de*do*. En algunos casos, los hablantes tienden a pronunciar esta *d*, que debería ser la continua [ð], como una [ɾ], por lo que palabras como *todo* y *nada* suenan como *toro* y *nara*, lo que es incorrecto. Es necesario recordar que el sonido de la [ð] del español es mucho más cercano a la *th* de la palabra *mother*, que a la [ɾ].

El fonema /y/ tiende a ser pronunciado casi como una [i] corta en inglés, como el primer sonido de *yet, young, you*, tanto en posición inicial de palabra como entre vocales. Es necesario notar que la pronunciación de la [y] española es siempre más tensa y en muchos casos fricativa, aproximándose a la [ʒ] del inglés en *treasure, beige*.

Finalmente, la líquida /l/ del inglés, como en *light, silly* y *bell*, tiene la misma articulación que en español, producida en los alveolos con la punta de la lengua. Sin embargo, la resonancia de la [l] del español es siempre la de la vocal [i], por la posición adelantada de la parte posterior de la lengua, mientras que la resonancia de la [l] inglesa es más bien de [u]. Todas las [l] del español, inclusive las que están a final de palabra, como *sal, mil, col, azul*, deben tener esta resonancia de [i].

10.3. El ritmo silábico

Por ritmo entendemos la alternancia de sílabas fuertes y débiles en el interior del enunciado. Los elementos de los que depende el ritmo son la sílaba, la acentuación y la distribución de las palabras tónicas. Las características de la división silábica en español y el hecho de que las vocales españolas se pronuncien siempre con el mismo timbre, le dan al ritmo de la lengua una calidad bastante homogénea en lo relativo a la duración de las sílabas. Esta forma de mantener la misma duración aproximada para cada sílaba en secuencia ha sido denominado «ritmo silábico». Aunque las sílabas tónicas siempre serán ligeramente más largas que las átonas, este hecho no altera la particular condición silábica del ritmo español.

El inglés, en contraste, tiene un ritmo que distingue de manera mucho más clara las sílabas prominentes de las reducidas, al punto de llegar en algunos casos a eliminar la vocal de las sílabas inacentuadas, como en las llamadas contracciones: por ejemplo, *I'm* por *I am* y *wouldn't* por *would not*. El ritmo del inglés, por esta razón, ha sido llamado acentual, lo que quiere decir que la longitud de un enunciado no depende del número de sílabas (como ocurre en español) sino del número de acentos.

El ritmo acentual del inglés

Podemos distinguir tres grados de prominencia de las sílabas del inglés: fuertes, que representaremos **TAA**; medias, que representaremos **TA**; y débiles, que representaremos **ti**. En los siguientes ejemplos, con enunciados de dos, tres y más sílabas, mostramos de qué manera se organiza el ritmo del inglés:

Muestras de ritmo en inglés					
MAple TAA ti	*LANguage* TAA ti	*TEAcher* TAA ti	*The CATS* ti TAA	*aROUND* ti TAA	*beGIN* ti TAA
HAppiness TAA ti ti	*Melody* TAA ti ti	*RoMANtic* ti TAA ti	*I'm SOrry* ti TAA ti		*PHOtograph* TAA ti TA
Carry it aWAY TA ti ti ti TAA	*What about a DRINK?* TA ti ti ti TAA		*DetermiNAtion* ti TA ti TAA ti	*I bought a REcord* ti TA ti TAA ti	

Como podemos ver en los ejemplos anteriores, los posibles patrones de ritmo son muy variados en los enunciados en inglés, pudiendo estar la sílaba más prominente al principio, en la mitad o al final del enunciado.

El ritmo silábico del español

El ritmo del español es mucho más regular y las sílabas átonas nunca se reducen. El efecto musical es el de una secuencia repetida de unidades, con un ligero énfasis en la sílaba tónica. Se le ha comparado al sonido de un motor o de una ametralladora, y podríamos caracterizarla como ru-rú-ru-ru-rú ru.

Muestras de ritmo en español		
Churros con chocolate rú ru ru rururúru	Los niños duermen poco ru rú ru rú ru rú ru	Le dieron el número de vuelo ru rú ru ru rúruru ru rúru

Los hablantes de inglés encuentran mucha dificultad para mantener este ritmo silábico del español y su tendencia es a enfatizar demasiado las sílabas tónicas y, en particular, a reducir las átonas. Esto provoca que la pronunciación de las vocales no sea la apropiada. Como práctica, se recomienda marcar con la mano o un lápiz contra la mesa individualmente todas las sílabas de los enunciados, tratando de mantener el mismo intervalo entre todas ellas. Presta particular atención, en los ejercicios de las secciones correspondientes, a la forma en que cada vocal mantiene su identidad, independientemente de si está en sílaba tónica o átona.

10.4. La entonación enunciativa

Aunque tanto el inglés como el español tienen esquemas parecidos en lo relativo a la entonación enunciativa, interrogativa y exclamativa, las subidas y bajadas no ocurren de la misma manera ni producen los mismos efectos. Es sumamente importante para los hablantes de inglés conocer el sentido que tienen los diferentes esquemas melódicos del español, puesto que difieren en ambas lenguas y pueden causar malas interpretaciones o fallas en la comunicación si se usan equivocadamente.

Por ejemplo, un tono descendente que suena normal y comedido en español, puede sonar indiferente y hasta descortés en inglés; y un tono alto/descendente al final del enunciado, como es lo normal en los enunciados declarativos del inglés, puede sonar excitado, enfático o extrañamente insistente en español. Esto se hace patente, por ejemplo, en los saludos del tipo *Buenas tardes*, que tiene un tono final bajo/descendente, y *Good afternoon*, que lo tiene alto/descendente. La transferencia de la entonación de estos enunciados de una lengua a la otra podría producir interpretaciones no deseadas por el hablante, por parte del oyente.

La entonación declarativa en inglés

Es característico de la entonación enunciativa inglesa el que antes del descenso final se produzca una subida del tono hasta un nivel medio o agudo, lo cual hace que sea en la última sílaba fuerte donde se encuentra el tono más alto de todo el enunciado. Es decir, el pico tonal de mayor altura generalmente se corresponde con la última sílaba acentuada, después del cual el tono baja.

En los enunciados siguientes, *My name is Mary* y *John cooked dinner*, las sílabas acentuadas del cuerpo del enunciado tienen generalmente un tono medio, que llega a alto con la última sílaba acentuada, antes de descender en un amplio movimiento ascendente/descendente final.

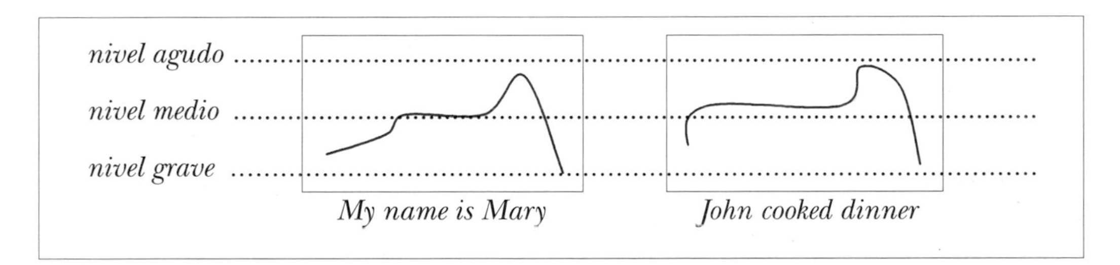

La entonación enunciativa del español

Si en español pronunciamos un enunciado con el esquema de las declarativas del inglés que acabamos de ver, sonaría inapropiadamente enfático. Esto es así porque el esquema de la entonación enunciativa del español se caracteriza por tener la mayor altura al principio, coincidiendo con la primera sílaba tónica (o la átona que le sigue). Después de este ascenso inicial, el descenso es gradual, llegando hasta el nivel grave con la última tónica. El esquema sería algo así como un tobogán, que sube drásticamente al principio, para luego descender en forma más o menos recta hasta el registro bajo (nivel grave), siendo al final el descenso más pronunciado. El punto tonal más alto está al principio del grupo fónico, no hacia el final, como en inglés. Esto es importante destacarlo por la tendencia de los anglófonos a subir mucho al final, antes de bajar, lo cual, como hemos dicho, suena inapropiado para los enunciados asertivos normales.

En los ejercicios de la sección de entonación, presta particular atención a la altura tonal de la primera sílaba tónica y la última, que están marcadas con letra negrita. A continuación ilustramos este tipo de entonación con el enunciado *No me llames por las noches.*

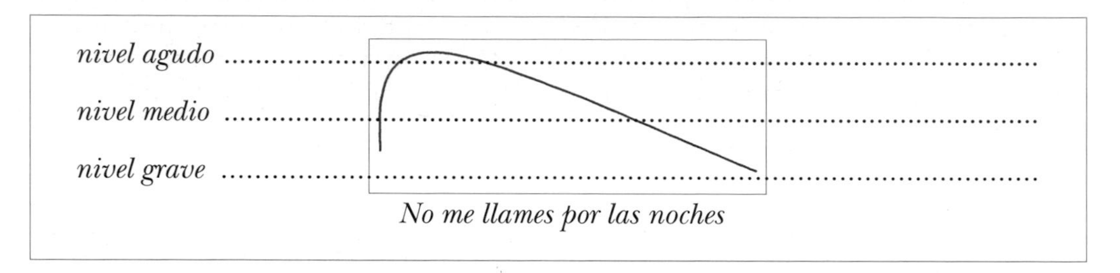

Es recomendable, para los hablantes de inglés, practicar bastante este esquema de entonación hasta producirlo de manera natural y espontánea. Se debe recordar que éste es el patrón melódico de la entonación enunciativa del español, y no otro.

Claves

2.6. Escucha el deletreo de una serie de palabras. Intenta escribir cada palabra al tiempo que se deletrea

1 germánico	4 lluvioso	7 yudo
2 xilófono	5 trovador	8 razonable
3 wagneriano	6 vivaque	9 calcetín

4.6.1. Escucha y
Marca con + las cinco palabras que vas a oír en primer lugar

pera	vendí +	oso	uno +	aso
mismo +	mona	tosí +	mire	mano
tisú	bolero	tuno	para +	policía

4.6.2. Escucha y
Numera según el orden de la grabación las diez primeras palabras que vas a oír

vereda 10	triste 8	mundano 9	pérdida	viniste 2
antes 3	colega	palo 1	parada 6	muda
mudó 4	lelo	moneda 5	volaba	vanidad 7

4.6.3. Escucha y
Marca con «+» las cinco palabras que vas a oír en primer lugar

ciego +	raíl	vehículo	alergia	reina
duración	aúna +	viaje+	poeta	periodo+
vigilancia	paseo +	averiguáis	cuadro	buey

4.6.4. Escucha y
Numera según el orden de la grabación las diez primeras palabras que vas a oír

cuerpo 7	leer 1	caí	reír 9	hielo
conocimiento	limpiáis 10	fuerte 2	vicio	audición
trofeo 3	austero 4	biología 5	María 6	ciudad 8

5.1.1.1. Escucha y
Marca con «+» las diez palabras que vas a oír en primer lugar

pura +	pupa +	opina +	para +	carpa
puso +	policía	Pepe +	paraba	propio +
puesto	poco +	palpar +	paso +	plato

5.1.1.2. Escucha y
Numera según el orden de la grabación las cinco primeras palabras que vas a oír

óptimo 5	Egipto	aptitud 2	psicólogo
opción 3	inepto 1	captar	pseudohumano
optimista	abrupto	apto	psiquiatría 4

5.1.2.1. Escucha y
Marca con «+» las cinco palabras que vas a oír en primer lugar

búfalo	boca	bobo +	cobra	barata
busco +	bola +	cabo	oblicuo	trombo +
bueno +	bono	cebo	cable	bamba

5.1.2.3. Escucha y
Numera según el orden de la grabación las diez primeras palabras que vas a oír

obcecar 6	obsequio 7	abdomen 2	absorber 10
observar 8	obstáculo 1	abdicar	abstemio 9
objeto 3	obsceno 4	absoluto 5	abstracto

5.1.3.1. Pon atención en los siguientes pares de palabras. Oirás la pronunciación de una de las palabras de cada pareja. Marca con «+» las palabras que vas a oír

foco + / zoco	fiebre + / cielo	fofa + / floja
fofo / rozo +	feo + / cerco	tufo / lujo +
faca + / zafa	ánfora / úlcera	+ fuel + / juez
sofá / loza +	solfa / colza +	fuera + / juerga

5.1.3.2. Escucha y Numera según el orden de la grabación las diez primeras palabras que vas a oír

fino 10	fecha 3	foca 4	fuerza	frente
filo 7	fama 5	fogón 9	fuego 6	frontal 1
feliz	farsa 2	fusta	fuelle 8	cofre 9

5.1.4.1. A continuación vas a oír una serie de palabras, cada una de ellas precedida de un número. Después de oír una palabra, escríbela en el lugar correspondiente

1. puerta	6. buena	11. furia
2. café	7. furtivo	12. aptitud
3. abrir	8. babero	13. abstención
4. observa	9. captar	14. fofa
5. fritura	10. pepita	15. bobería

5.1.5.1. Pon atención en los siguientes pares de palabras. Oirás la pronunciación de una de las palabras de cada pareja. Marca con «+» las palabras que vas a oír. Después oirás la pronunciación de todas las palabras. Escucha y repite

multa + / mucha	mete + / leche	dato + / dado
mato / macho +	entero / mechero +	trabó +/ dragón
cata + / cacha	pita +/ ficha	entré / vendré +

5.1.5.2. Escucha y
Marca con «+» las diez palabras que vas a oír en primer lugar

tití 1	late 9	tarta 8	trato	etnia 6	topo
tiene	tela 5	atleta 2	trasto 3	Etna 10	tuna 7
tina 4	falta	Atlántico	contra	Vietnam	tuba

5.1.6.1. Pon atención en los siguientes pares de palabras. Oirás la pronunciación de una de las palabras de cada pareja. Marca con «+» las palabras que vas a oír. Después oirás la pronunciación de todas las palabras. Escucha y repite

vete +/ sede	de / ye+	cada+ / casa
seta / seda +	deba+ / yema	dale / sale+
siete / sede +	lado / mayo+	dedo+ / seso
materia +/ madera	podo+ / poyo	dad / das+

5.1.6.3. Escucha y
Marca con «+» las cinco palabras que vas a oír en primer lugar

divo	directo +	dato	adquirir
dedito+	delega +	dará	verdad
dinero	detener	queda +	adscribir +

5.1.7.1. Escucha y
Marca con «+» las cinco palabras que vas a oír en primer lugar

cena +	cieno	pecera +	maza	zona
cita +	cisco +	meció	zapato	zueco
cepo	ciento	sucio	pozo +	zulú

5.1.7.2. Escucha y
Numera según el orden de la grabación las diez primeras palabras que vas a oír

bizco 7	vizconde 1	tez	eficaz 8	arroz 9
bizcocho 10	vez 2	estrechez	veraz 3	albornoz
Vizcaya 4	delgadez 5	incapaz	paz 6	testuz

5.1.8.1. Pon atención en los siguientes pares de palabras. Oirás la pronunciación de una de las palabras de cada pareja. Marca con «+» las palabras que vas a oír. Después oirás la pronunciación de todas las palabras. Escucha y repite*

cede + / sede	cima / sima +	poso +/ pozo	musa / mucha+
ciento + / siento	casa / caza +	mes / vez +	sapo + / chapa
cocer +/ coser	caso +/ cazo	pies +/ pez	fresa +/ flecha

5.1.8.2. Escucha y
Marca con «+» las cinco palabras que vas a oír en primer lugar

des 4	salsa	astas	asesinos	defensa 5
mesa	tres 2	sesgo 3	suaves 1	farsa
eses	tasa	extraordinario	vestidos	bolsa

5.1.9.1. Después de oír una palabra, escríbela en el lugar correspondiente

1. desde	6. sucio	11. detrás
2. trasto	7. tardar	12. delante
3. Susana	8. martes	13. antes
4. ceniza	9. marcial	14. deseado
5. sesgo	10. sosa	15. seso

5.1.10.1. Escucha y
Marca con «+» las diez palabras que vas a oír en primer lugar

coco	culpa +	cuerpo +	quiere +	kilo
coca +	saco	ocupo	quemar +	kiosco +
cogote +	poco +	oculista +	aquí	Pekín +

5.1.10.2. Escucha y
Numera según el orden de la grabación las cinco primeras palabras que vas a oír

producto 3	pacto	acción	satisfacción
conductor	víctima 2	lección 1	inyección
acto 5	proyecto	protección	diccionario 4

5.1.11.1. Escucha y
Marca con «+» las diez palabras que vas a oír en primer lugar

gusto +	golfo	guerrero +	cigüeña	dogma
guadaña	gago +	guía	halagüeño +	digno
gula	ganga	vaguedad	lingüística	ignorar +

5.1.11.3. Escucha y
Numera según el orden de la grabación las cinco primeras palabras que vas a oír

examen 1	asfixia	torax 5	extranjero
exacto	laxo 4	fax	extra 2
exilio	éxodo	relax 3	excéntrico

5.1.12.1. Escucha y
Marca con «+» las cinco palabras que vas a oír en primer lugar

junio	joven	majo	jamón +	mujer +
junta +	jornal +	paja	jefe	jirafa
jueves	flojo	jarana +	genio	pajita

5.1.12.2. Escucha y
Numera según el orden de la grabación las cinco primeras palabras que vas a oír

manjar	Benjamín 2	angina	virgen	boj
naranja 1	ángel	margen 3	álgido	reloj
toronja	fingir 5	marginal	analgésico 4	contrarreloj

5.1.13.1. A continuación vas a oír una serie de palabras, cada una de ellas precedida de un número. Después de oír una palabra, escríbela en el lugar correspondiente

1. jara	6. coca	11. macaco
2. rojo	7. kilogramo	12. goma
3. caracola	8. magno	13. vinagre
4. guapa	9. máquina	14. quieto
5. grupo	10. bloque	15. actuar

5.1.14.2. Pon atención en los siguientes pares de palabras. Oirás la pronunciación de una de las palabras de cada pareja. Marca con «+» las palabras que vas a oír. Después oirás la pronunciación de todas las palabras. Escucha y repite

eche+ / ese	mancho+ / manso	china+ / tina	cincha+ / cinta
pecho / peso+	percha / persa+	Chema / tema+	puncha+/punta
cacho+ / caso	colcha+ / bolsa	chapa+ / tapa	parche/ parte+

5.1.14.3. Escucha y
Numera según el orden de la grabación las cinco primeras palabras que vas a oír

China	checo	marche 4	chaval 5	ancho
Chispa 2	chelín	bache	chopo 3	gancho
chivo	cheque	hache	chulo	cancha 1

5.1.15.2. Escucha y
Numera según el orden de la grabación las cinco primeras palabras que vas a oír

yen	yegua 2	yugo	mayo	sello
yeso 5	yago	huye	mayor 1	calle
yerno	yoga	ensaye 3	hoyo 4	toalla

5.1.16.1. A continuación vas a oír una serie de palabras, cada una de ellas precedida de un número. Después de oír una palabra, escríbela en el lugar correspondiente

1. reyerta	6. pecho	11. anchura
2. chupar	7. muelle	12. yen
3. hacha	8. yogur	13. trecho
4. yuca	9. ayuda	14. chincheta
5. chaqueta	10. mecha	15. bueyes

5.2.1.1. Escucha y
Marca con «+» las cinco palabras que vas a oír en primer lugar

mudo	romo	mano +	camisa	ameno +
momo	tomo	malo +	minuto	menudo
mono +	lomo +	cama	meto	mirada

5.2.1.2. Escucha y
Numera según el orden de la grabación las cinco primeras palabras que vas a oír

hombro 3	amplio	imposible 5	empacar	álbum
hombre	amparo 2	impuesto	empezar 1	currículum
ombligo 4	ampolla	impaciente	empinar	maremágnum

5.2.2.1. Escucha y
Marca con «+» las cinco palabras que vas a oír en primer lugar

ninguno	nene	nana +	noto +	tren +
nieto +	necio	nava	cono	pon
manía	nevada +	manada	nube	pan

5.2.3.1. Pon atención en los siguientes pares de palabras. Oirás la pronunciación de una de las palabras de cada pareja. Marca con «+» las palabras que vas a oír. Después oirás la pronunciación de todas las palabras. Escucha y repite

eñe + / eye	cañada +/ cayado	caño + / cacho
cuña / cuya +	seña / sella+	niño / nicho+
paño + / payo	niña / villa+	puño +/ lucho
maño / mayo+	maño+ / macho	moña / mocha+

5.2.3.2. Escucha y
Numera según el orden de la grabación las cinco primeras palabras que vas a oír

tiña 3	risueña	España	paño	ñoño
niña 1	caribeña	cabaña	año 4	ñu
piña	madrileña 2	tacaña	rebaño	ñoqui 5

5.2.4.1. A continuación vas a oír una serie de palabras, cada una de ellas precedida de un número. Después de oír una palabra, escríbela en el lugar correspondiente

1. manera	6. ámbar	11. Martín
2. añaden	7. menear	12. cantando
3. mantengo	8. baño	13. nevera
4. ñame	9. alzar	14. cañada
5. monada	10. pandemonium	15. manco

5.3.1.1. Escucha y Numera según el orden de la grabación las cinco primeras palabras que vas a oír

lío	lelo 3	lana	ele	posible
lino	lento	lote 4	pela	cable 1
lila 2	letal 5	luna	mala	blanco

5.3.1.2. Pon atención en los siguientes pares de palabras. Oirás la pronunciación de una de las palabras de cada pareja. Marca con «+» las palabras que vas a oír. Después oirás la pronunciación de todas las palabras. Escucha y repite

cera +/ cela	mar / mal+	babel / valer+	blanco+ / bronco
pera+ / pela	finar+ / final	deber+ / bedel	Blasco / brazo+
tira / tila+	casar+ / casal	yermo+ / yelmo	noble+ / cobre
mora+ / mola	faltar / fatal+	formo / colmo+	posible / libre+

5.3.2.1. Escucha y Numera según el orden de la grabación las cinco primeras palabras que vas a oír

llega 1	llano	paella	anillo 4	bollo
lleve	llanto 2	sombrilla	escollo	escabullo
llena 5	llama	Castilla 3	meollo	orgullo

5.3.2.2. Pon atención en los siguientes pares de palabras. Oirás la pronunciación de una de las palabras de cada pareja. Marca con «+» las palabras que vas a oír. Después oirás la pronunciación de todas las palabras. Escucha y repite

elle+ / eye	llave+ / yacer	pollo+ / poyo
rallado / rayado+	gallo / mayo+	rollo / royo+
callo+ / cayo	bolla / boya+	capullo+ / suyo
rallo / rayo+	lloro+ / yo	lluvia+/ yuca

5.3.3.1. Escucha y
Numera según el orden de la grabación las cinco primeras palabras que vas a oír

mire	seré 2	para	crema	pobre
tire 1	miré	víbora	micro	gremio
lira	verá 3	altura 5	bruto	sangre 4

5.3.3.2. Escucha y
Marca con «+» las cinco palabras que vas a oír en primer lugar

ser	dar	firme	carta +	puerta +
ver +	amar	perdón +	corta	cierta
oler	armar +	verdadero	muerta	abierta

5.3.4.2. Escucha y
Numera según el orden de la grabación las cinco primeras palabras que vas a oír

erre	perra	marra	red 1	Enrique	rosa 4
cierre	cierra 5	carro 2	renta	enrosca	rubio
yerre	becerra	forro	rasa	roca 3	ruso

5.3.4.4. Pon atención en los siguientes pares de palabras. Oirás la pronunciación de una de las palabras de cada pareja. Marca con «+» las palabras que vas a oír. Después oirás la pronunciación de todas las palabras. Escucha y repite

ere / erre+	cero+ / cerro	caro+ / carro
pera+ / perra	para / parra+	vara / barra+
mira / mirra+	moro /morro+	Ciro / cirro+

5.3.4.5. Pon atención en los siguientes pares de palabras. Oirás la pronunciación de una de las palabras de cada pareja. Marca con «+» las palabras que vas a oír. Después oirás la pronunciación de todas las palabras. Escucha y repite

corro+ / cojo	parra / paja+	reta+ / jeta
morro+ / mojo	marra /maja+	rema / gema+
recorro / recojo+	corra+ / coja	Ramón+ / jamón

5.3.5.1. A continuación vas a oír una serie de palabras, cada una de ellas precedida de un número. Después de oír una palabra, escríbela en el lugar correspondiente

1. oreja	6. rápido	11. leal
2. corredor	7. volver	12. finalizará
3. palpar	8. llovió	13. retener
4. llegará	9. desrizar	14. vendrá
5. arrancará	10. parará	15. ladrar

6.8. Coloca en la columna correspondiente las palabras de 2, 3 y 4 sílabas que aparecen en la parte inferior del cuadro

DOS SÍLABAS	*TRES SÍLABAS*	*CUATRO SÍLABAS*
1. fuego	1. ahuecar	1. camaleón
2. viaje	2. boato	2. almohada
3. hielo	3. aliento	3. acentúo
4. peine	4. aorta	4. abstraído
5. ahumar	5. santiguáis	5. serpentea

7.11. Escucha y agrupa las palabras que aparecen en la parte inferior del cuadro según el lugar en que lleven el acento

AGUDAS	*GRAVES*	*ESDRÚJULAS*
cenó	acento	bélico
distracción	árbol	hábito
habrás	circulo	cefalópodo
poder	domino	pésimo
rapaz	imposible	óptimo

7.13. Escucha, subraya la sílaba tónica y coloca el acento gráfico cuando sea necesario. Tendrás un tiempo para subrayar y escribir el acento gráfico

mor**tal**	be**bién**dolo	pan**ta**lla
estrope**an**do	**mar**gen	ver**da**des
i**nú**til	cor**cel**	lucha**rás**
ale**grí**a	es**cuá**lido	pronuncia**ción**
capaci**dad**	vi**sor**	ca**mi**nos

7.14. Lee las siguientes palabras colocando el acento en el lugar adecuado. Primero oirás el número correspondiente, después tendrás un tiempo para leer y escribir el acento gráfico, cuando sea necesario. Después oirás la pronunciación correcta

1. bebedor	6. cocinero	11. lápiz
2. búscalo	7. ladrillo	12. regímenes
3. martillos	8. mortífero	13. especiales
4. cantarín	9. capitán	14. huida
5. comieron	10. olé	15. María

7.15. Escucha las siguientes frases y coloca el acento gráfico donde sea necesario. Oirás cada frase dos veces

1. Dime por qué estaban poniéndose todos esos pantalones míos
2. No sé lo que tú piensas de mí ni por qué estás siempre así de feliz
3. Quería saber cuánto tiempo durarían en esa posición tan difícil
4. El dragón voló cerca de él sin rozar las copas de los árboles
5. Cuanto más lo pienses menos lo entenderás: la vida es así.

8.15. Escucha los siguientes enunciados. Después tendrás tiempo para colocar los signos de puntuación correctos

1. Vamos a cantar ¡!
2. A qué hora tiene que llegar ¿?
3. Las fiestas son estupendas
4. Sabe cuántos años tienes ¿?
5. No te lo ha dicho todavía ¡!
6. Esos papeles no sirven para nada
7. Las cartas se echan en ese buzón ¿?
8. Han vendido las mejores frutas ¡!
9. Ha decidido no preocuparse
10. Las cartas no han llegado a tiempo ¿?

Referencias bibliográficas

FERNÁNDEZ DÍEZ, Rafael, 1999, *Prácticas de fonética española para hablantes de portugués*, Madrid, Arco/Libros.

GÓMEZ TORREGO, L., 1999, *Manual de español correcto*, 9ª ed., Madrid, Arco/Libros.

MARTÍNEZ CELDRÁN, Eugenio, 1984, *Fonética*, Barcelona, Teide.

POCH OLIVÉ, Dolors, 1999, *Fonética para aprender español: pronunciación*, Madrid, Edinumen.

QUILIS, Antonio, 1985, *El comentario fonológico y fonético de textos*, Madrid, Arco/Libros.

QUILIS, Antonio, 1998, *Principios de fonología y fonética españolas*, Madrid, Arco/Libros.

QUILIS, Antonio y Joseph A. FERNÁNDEZ, 1982, *Curso de fonética y fonología españolas*, 10ª ed., Madrid, CSIC.

REAL ACADEMIA ESPAÑOLA, 1999, *Ortografía de la lengua española*, Madrid, Espasa Calpe.

SOSA, J.M., 1999, *La entonación del español*, Madrid, Cátedra.

STOCKWELL, R.P. y BOWEN, J.D., 1965, *The Sound of English and Spanish*, Chicago, Chicago University Press.